一問一答 英検® 2級 完全攻略問題集

高橋書店

音声のダウンロードについて

パソコン・スマートフォン等から無料で音声を聞くことができます。手順については、カバー折り返し部分をご参照ください。

はじめに

英検®が初めて実施されてから約 60 年がたちました。今では年間受験者数が 420 万人を超え，試験内容は『より実用的』に進化し続けています。

そのなかでも英検® 2 級は，高校生が中心に受験する難関試験です。
レベルは高校卒業程度。全般的な英語能力を測る良問ぞろいなので，英検® 2 級対策を練ることが「大学入試合格への近道」にもなります。
また
①「英検」2 級に合格すると英語の総合力がつくため，TOEIC®などほかの試験対策にも効果的
②リスニング対策は英会話，英語のニュースやドラマなどの視聴能力向上に有効
③二次試験対策は，スピーキングの対応力・表現力・会話力の向上に有効
なことから，大学生・社会人にもおすすめです。

本書は，短期間で確実に英検® 2 級合格を目指す皆さんのために，練習問題，模擬試験と単語・熟語集をまとめた問題集です。掲載問題の選択肢は，できる限り**2 級必須単語で構成**しました。そのため本番の問題より難しく感じるかもしれません。しかし，2 級合格のための効率学習には，けっして無駄にならないはずです。
本冊で問題を解いて知らない単語があれば，別冊の「頻出単熟語」で確認してください。また別冊では「長文単語」「頻出会話表現」などもまとめて確認できます。

本書を有効活用した皆さんが，難関の英検® 2 級試験に晴れて合格されることを切に願っております。

著　者

CONTENTS ◆ 目次

第1章 分野別一問一答問題

Part 1 短文の語句空所補充 10

Part 2 長文の語句空所補充 48

Part 3 長文の内容一致選択 56

本文デザイン／有限会社 エムアンドケイ　イラスト／森 海里，上丸 健
編集協力／株式会社 一校舎，株式会社 カルチャー・プロ，株式会社 明昌堂，株式会社 内外プロセス
音声作成協力／合同会社 ユニバ
校正／株式会社 ぷれす，株式会社 鷗来堂

英検®受験のポイント

※試験内容などは変わる場合があります。

2級のレベルは，高校卒業程度とされています。これまでの学習で培った英語能力を，日常生活で応用できること，社会生活に必要な英語を理解し使用できることが求められます。2級を取得すると入試優遇，単位認定，さらに海外留学や社会人の一般的な英語力の条件など幅広く適用されます。

一次試験は筆記とリスニングに分かれ，合格すると二次試験の受験資格が与えられます。

二次試験は面接形式でスピーキングの技能を測るテストとなります。

一次試験

筆記

<table>
<tr><th>求められるおもな能力</th><th>形式</th><th>内容</th><th>問題文の種類</th><th>解答形式</th></tr>
<tr><td>語彙・文法力</td><td>短文の語句空所補充</td><td>文脈に合う適切な語句を補う</td><td>短文
会話文</td><td rowspan="3">4肢選択
(選択肢印刷)</td></tr>
<tr><td rowspan="2">読解力</td><td>長文の語句空所補充</td><td>パッセージの空所に，文脈に合う適切な語句を補う</td><td>説明文</td></tr>
<tr><td>長文の内容一致選択</td><td>パッセージの内容に関する質問に答える</td><td>Eメール
説明文</td></tr>
<tr><td rowspan="2">作文力</td><td>英文要約</td><td>文章の内容を英文で要約する</td><td>説明文など</td><td rowspan="2">記述式</td></tr>
<tr><td>英作文</td><td>指定されたトピックについての英作文を書く</td><td>——</td></tr>
</table>

リスニング

<table>
<tr><td rowspan="2">聴解力</td><td>会話の内容一致選択</td><td>会話の内容に関する質問に答える
(放送回数1回)</td><td>会話文</td><td rowspan="2">4肢選択
(選択肢印刷)</td></tr>
<tr><td>文の内容一致選択</td><td>短いパッセージの内容に関する質問に答える
(放送回数1回)</td><td>物語文
説明文</td></tr>
</table>

二次試験

英語での面接

求められるおもな能力	形式	内容	解答形式
発話力	音読	60語程度のパッセージを読む	個人面接 面接委員1人 （応答内容，発音，語彙，文法，語法，情報量，積極的にコミュニケーションを図ろうとする意欲や態度などの観点で評価）
	パッセージについての質問	音読したパッセージの内容についての質問に答える	
	イラストについての質問	3コマのイラストの展開を説明する	
	受験者自身の意見など	ある事象・意見について自分の意見などを述べる （カードのトピックに関連する内容）	
	受験者自身の意見など	日常生活の一般的な事柄に関する自分の意見などを述べる （カードのトピックに直接関連しない内容も含む）	

◉試験日程

	〈一次試験〉	〈二次試験〉
第1回	5月下旬～6月上旬	7月上旬～7月中旬
第2回	9月下旬～10月上旬	11月上旬～11月中旬
第3回	1月中旬～1月下旬	3月上旬

◉一次試験免除について

一次試験に合格し，二次試験を棄権あるいは二次試験が不合格だった場合，一次試験が1年間免除され，次回は二次試験から受験できます。ただし，申し込み時に申請が必要です。

◉申し込み方法

インターネット，コンビニエンスストア，英検®特約書店から申し込めます。

※S-CBT試験については，公益財団法人 日本英語検定協会のホームページをご参照ください。

◆◆◆本書の特長◆◆◆

1 ▸ テーマ別に学べる〈分野別〉一問一答問題

実際の本試験で出題される形式に沿ってパート分けしています。問題を解いたあと，解答・解説をすぐに確認できる一問一答式で，学習を効率的に進められます。

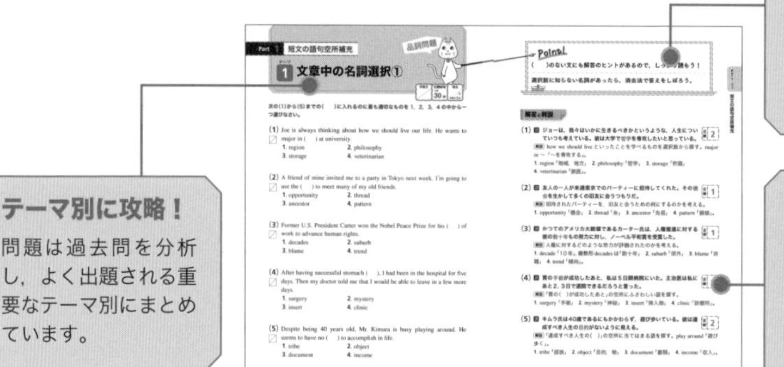

テーマ別に攻略！
問題は過去問を分析し，よく出題される重要なテーマ別にまとめています。

ポイントをつかむ！
テーマごとに学習上の注意点や，問題を解くためのポイントを示しています。

赤チェックシートで隠して学べる！
解答と選択肢などの日本語訳は文字色を赤くしています。シートで隠して学習しましょう。

2 ▸ 本番形式の模擬試験

一問一答式の問題を解き終えたら，学習の仕上げとして本番形式の模擬試験を解きましょう。

時間を計り，本試験と同じ時間内で解く練習もできます。

> **2級模擬試験 筆記問題**
>
> 1 次の(1)から(17)までの(　)に入れるのに最も適切なものを1，2，3，4の中から一つ選びなさい。
>
> (1) A: Mike always speaks ill of others, doesn't he?
> B: Yes, I know. He will lose all of his friends unless he (　) that.
> 1 constructs 2 imitates 3 achieves 4 quits
>
> (2) Keiko was deeply (　) by what Yuta said. She was so sad that she couldn't sleep all night.
> 1 tempted 2 hurt 3 scanned 4 permitted
>
> (3) His speech was so difficult that we could (　) understand it.
> 1 hardly 2 efficiently 3 properly 4 frequently
>
> (4) The new solar power plant was built to (　) energy to the region. The locals expected that they could get enough energy.
> 1 rattle 2 predict 3 supply 4 expose
>
> (5) Erica's presentation at the meeting was given (　) from her co-workers. The president decided that she would be his secretary.
> 1 resources 2 function 3 admiration 4 situation
>
> 118

3 ▸ 別冊 頻出単熟語

英検®の頻出単語・熟語を別冊にまとめています。

どれも重要な単語・熟語なので，赤チェックシートを活用する学習をくりかえしましょう。

頻出単語には関連語や派生語も併記しています。まとめて覚えると，効率よく語彙力がアップします。

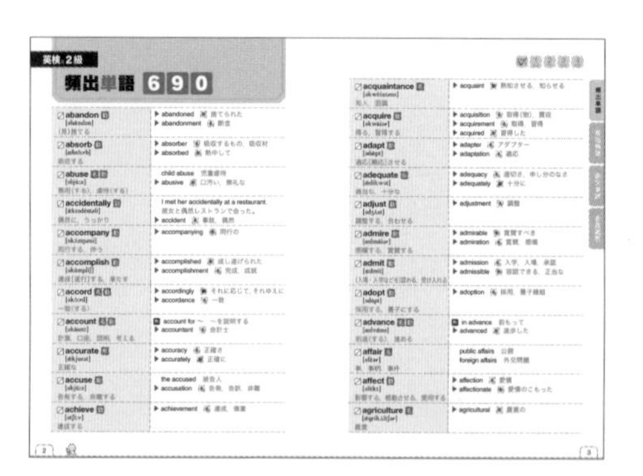

第 1 章

分野別
一問一答問題

攻略テクニック！

Part 1 短文の語句空所補充

POINT

※試験内容などは変わる場合があります

形式	短文の空所に補充する語を４つの選択肢の中から１つ選ぶ 英文のタイプは文章と会話の２種類
問題数	17問
目標時間	10～15分程度。1問を平均1分かけずに解くイメージ
傾向	問題の種類は大きく「品詞」「熟語」の２つに分けられる。
対策	出題は，短文の空所にぴったり合う単語や熟語の選択。そのために欠かせない，語彙力と基本文法の知識をきちんと習得しよう

品詞問題

テクニック❶ 単語は関連語も同時に覚えて効率アップ！

短期間で単語を確実に習得するコツは，**１つの基本単語からなるべく多くの関連語を合わせて覚えること！**

別冊には，厳選した頻出単語とその関連語を収録しています。まずはここから覚えていきましょう。例えば consider「熟考する(動詞)」なら，派生語の considerable「かなりの(形容詞)」，consideration「熟考(名詞)」も同時に覚えます。

派生語のほか，反意語，類義語もこのように，その単語のつながりから覚えていけば効率的で忘れにくく，語彙を確実に増やせます。

テクニック❷ 前後の単語とのつながりから正解を導く！

問題文が難しくて全体を理解できないときは，(　)の前後の単語とのつながりから正解を考えます。例えば問題に…a three-page (　)…とあり，選択肢が,

1. development　**2.** adjustment　**3.** commitment　**4.** document

であれば，空所の前が「３ページの」なので，これとつながるのは **4. document**「書類」だけと分かり，正解が導けます。**選択肢が名詞だったら直前の形容詞，動詞だったら直後の目的語との意味のつながりに注目しましょう。**

熟語問題

テクニック❸ 正解の近道は熟語のある短文の丸暗記！

熟語問題では，熟語の全体もしくは一部が問われるため，意味，単語，品詞の順番のすべてを正確に覚える必要があります。そのための非常に有効な方法が，**熟語を使った短文の丸暗記**。短文で熟語を覚えておけば，単語ばかりか，その熟語がどの場面で使われるのかも同時に押さえられます。別冊には，２級頻出熟語を例文とともに掲載しています。ぜひご活用ください！

また，テクニック❷は熟語問題にも有効です。例えば問題がI am (　　) of his jokes, so ... で，選択肢が次のような場合です。

1. sure　**2.** true　**3.** sick　**4.** free

空所前後の訳が「僕は彼の冗談に…」なので，be sick of ～で「～にはうんざりだ」の意味の熟語になる選択肢**3**が正解と分かります。

column

従来の英検２級の試験では，大問１の短文の語句空所補充の問題数は20問でしたが，2024年度試験問題形式リニューアル後は，大問１での文法問題の出題がなくなり，17問となりました。品詞ごとの重要単語や熟語をしっかり覚えることを中心に学習を進めましょう。後半のライティングでは，文法力が問われますので英検の試験対策において文法の理解が重要であることに変わりはありません。

テーマ

1 文章中の名詞選択①

学習日	目標時間	得点
／	1問 30秒	／5 合格点3点

次の(1)から(5)までの(　　)に入れるのに最も適切なものを 1, 2, 3, 4 の中から一つ選びなさい。

(1) Joe is always thinking about how we should live our life. He wants to major in (　　) at university.

1. region　　**2**. philosophy
3. storage　　**4**. veterinarian

(2) A friend of mine invited me to a party in Tokyo next week. I'm going to use the (　　) to meet many of my old friends.

1. opportunity　　**2**. thread
3. ancestor　　**4**. pattern

(3) Former U.S. President Carter won the Nobel Peace Prize for his (　　) of work to advance human rights.

1. decades　　**2**. suburb
3. blame　　**4**. trend

(4) After having successful stomach (　　), I had been in the hospital for five days. Then my doctor told me that I would be able to leave in a few more days.

1. surgery　　**2**. mystery
3. insert　　**4**. clinic

(5) Despite being 40 years old, Mr. Kimura is busy playing around. He seems to have no (　　) to accomplish in life.

1. tribe　　**2**. object
3. document　　**4**. income

（　　）のない文にも解答のヒントがあるので，しっかり読もう！

選択肢に知らない名詞があったら，消去法で答えをしぼろう。

解答と解説

(1) 訳 **ジョーは，我々はいかに生きるべきかというような，人生についていつも考えている。彼は大学で哲学を専攻したいと思っている。** 正解 2

解説 how we should live といったことを学べるものを選択肢から探す。major in ～「～を専攻する」。

1. region「地域，地方」 2. philosophy「哲学」 3. storage「貯蔵」
4. veterinarian「獣医」。

(2) 訳 **友人の一人が来週東京でのパーティーに招待してくれた。その機会を生かして多くの旧友に会うつもりだ。** 正解 1

解説 招待されたパーティーを，旧友と会うための何にするのかを考える。

1. opportunity「機会」 2. thread「糸」 3. ancestor「先祖」 4. pattern「模様」。

(3) 訳 **かつてのアメリカ大統領であるカーター氏は，人権推進に対する彼の数十年もの努力に対し，ノーベル平和賞を受賞した。**

解説 人権に対するどのような努力が評価されたのかを考える。

1. decade「10年」, 複数形 decades は「数十年」 2. suburb「郊外」 3. blame「非難」 4. trend「傾向」。

(4) 訳 **胃の手術が成功したあと，私は5日間病院にいた。主治医は私にあと2，3日で退院できるだろうと言った。**

解説「胃の（　）が成功したあと」の空所にふさわしい語を探す。

1. surgery「手術」 2. mystery「神秘」 3. insert「挿入物」 4. clinic「診療所」。

(5) 訳 **キムラ氏は40歳であるにもかかわらず，遊び歩いている。彼は達成すべき人生の目的がないように見える。** 正解 2

解説「達成すべき人生の（　）」の空所に当てはまる語を探す。play around「遊び歩く」。

1. tribe「部族」 2. object「目的，物」 3. document「書類」 4. income「収入」。

テーマ

2 文章中の名詞選択②

学習日 ／ 目標時間 1問 30秒 得点 ／5 合格点3点

次の(1)から(5)までの(　　)に入れるのに最も適切なものを 1, 2, 3, 4 の中から一つ選びなさい。

(1) Mt. Fuji is the highest mountain in Japan. It is located on the (　　) between Shizuoka and Yamanashi Prefectures.

1. ceiling　**2**. illusion
3. border　**4**. surface

(2) An (　　) might have emptiness in daily lives. When you feel it, you may need to satisfy your desires for friendship, love and so on.

1. occasion　**2**. emotion
3. article　**4**. individual

(3) The robot responds to signals sent from a (　　) which picks up the brain waves of a human.

1. mineral　**2**. device
3. scent　**4**. religion

(4) In our school, a (　　) of a class is fifty minutes long.

1. threat　**2**. faith
3. vote　**4**. period

(5) Culture shock is experienced by people who live in a very different culture from theirs. Without a (　　), it is stressful for some of them to live in a society like that.

1. guarantee　**2**. theory
3. finance　**4**. doubt

文全体だけでなく，前後の動詞，形容詞とつながるかにも注目！

複数の意味を持つ名詞に注意して語彙を増やそう！

解答と解説

(1) 訳 **富士山は日本で最も高い山だ。それは，静岡県と山梨県との境界に位置している。**

解説「2つの県の間の(　)に位置する」に当てはまる名詞を考える。

1. ceiling「天井」 **2**. illusion「幻想」 **3**. border「境界，へり」 **4**. surface「表面」。

(2) 訳 **人は日々の生活に対し空しさを感じるかもしれない。それを感じたときは，友情や愛情に対する自分の欲求を満たす必要がある。**

正解 4

解説 主語が問われている。「日々の生活に空しさを感じる」ものに当てはまる名詞を選ぶ。

1. occasion「場合」 **2**. emotion「感情」 **3**. article「記事，条項」 **4**. individual「個人」。

(3) 訳 **そのロボットは，人間の脳波を感じ取る装置から送られる信号に反応する。**

正解 2

解説 脳波を感じ取るものが何なのかを考える。pick up the brain waves「脳波を感じ取る」。

1. mineral「鉱物」 **2**. device「装置，工夫」 **3**. scent「におい」 **4**. religion「宗教」。

(4) 訳 **私たちの学校では，授業時間は50分です。**

解説 授業の何が50分なのかを考える。

1. threat「脅威」 **2**. faith「信頼」 **3**. vote「投票」 **4**. period「時代，時間」。

(5) 訳 **カルチャーショックは自分たちのものと大きく異なる文化で生活している人々によって経験される。疑うまでもなく，彼らの何人かにとってそういった社会で生活するのはストレスが大きい。**

正解 4

解説 異なる文化で生活する人の中で，ストレスを感じる人がいることがどうなのかを考える。

1. guarantee「保証」 **2**. theory「理論」 **3**. finance「財政」 **4**. doubt「疑い」。

Part 1 短文の語句空所補充

テーマ

3 会話文中の名詞選択

学習日 ／ 目標時間 1問 30秒 得点 ／5 合格点3点

次の(1)から(5)までの(　　)に入れるのに最も適切なものを 1, 2, 3, 4 の中から一つ選びなさい。

(1) **A**：How come you go to the ballpark so often, Yuri? I didn't think you were a baseball fan.

B：Well, to be honest with you, I do love the (　　) in the stadium.

1. principle　**2**. atmosphere
3. laboratory　**4**. satellite

(2) **A**：Have you already read the (　　) of Nelson Mandela?

B：Yes, I have. It was one of the most wonderful tales of the 20th century.

1. ingredient　**2**. proportion
3. biography　**4**. attitude

(3) **A**：Excuse me, do you know somewhere I can get a cup of coffee around here?

B：Sure. There is a nice place over there next to the (　　) shop.

1. souvenir　**2**. emphasis　**3**. altitude　**4**. scholar

(4) **A**：I'd like to have an (　　) for the house cleaning. I'll be happy if you keep the same conditions as my last order.

B：Certainly, I will make it in a week, sir.

1. economy　**2**. essence　**3**. entry　**4**. estimate

(5) **A**：I heard Mary's husband passed away because of overwork.

B：Hmm, he must have kept working at the (　　) of his health.

1. tension　**2**. gravity　**3**. sacrifice　**4**. background

Point!

(2) のように，相手の発言に正解の言い換えがあることも。

会話全体から話題をしっかり理解しよう！

解答と解説

(1) 訳 **A：どうしてきみはそんなに頻繁に野球場に行くんだい，ユリ？野球好きではないと思っていたんだけど。**
B：ええ，実を言うと球場の雰囲気がとても好きなの。

正解 2

解説 球場にあるものを選択肢から探す。**1**. principle「**原理，原則**」 **2**. atmosphere「**雰囲気**」 **3**. laboratory「**研究所**」 **4**. satellite「**衛星**」。

(2) 訳 **A：きみ，もうネルソン・マンデラ氏の伝記は読んだかい？**
B：ああ，読んだよ。20世紀の最もすばらしい物語の一つだね。

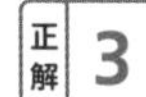

解説 空所の単語は **B** の２文目で「物語」と言い換えられている。
1. ingredient「**成分**」 **2**. proportion「**割合，比率**」 **3**. biography「**伝記**」 **4**. attitude「**態度**」。

(3) 訳 **A：すみません，この辺りでコーヒーが飲めるところをご存じですか？**
B：知ってますよ。そこのみやげ店の隣にいい場所があります。

解説 shop（店）の前に入れられる名詞を探す。**1**. souvenir「**みやげ**」 **2**. emphasis「**強調**」 **3**. altitude「**高度**」 **4**. scholar「**学者**」。

(4) 訳 **A：ハウスクリーニングの見積もりをお出しください。前回と同じ条件にしていただけたらうれしいのですが。**
B：かしこまりました，お客様。１週間中にお作りします。

解説 house cleaning や last order などの語句から，**A** はハウスクリーニングの依頼主であることが分かる。料金などの条件を知るために作ってもらうものは **4**. estimate「**見積もり**」。
1. economy「**経済**」 **2**. essence「**本質**」 **3**. entry「**入ること**」。

(5) 訳 **A：メアリーの夫は過労で亡くなったと聞いたわ。**
B：ふむ，彼は健康を犠牲にして働き続けたに違いない。

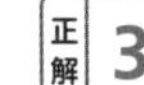

解説 **A** の発言「過労で亡くなった」から，働くことで健康がどうなったか考える。
1. tension「**緊張**」 **2**. gravity「**重力，引力**」 **3**. sacrifice「**犠牲**」 **4**. background「**背景**」。

テーマ

4 文章中の動詞選択①

学習日 ／　目標時間 1問 30秒　得点 ／5 合格点3点

次の(1)から(5)までの(　　)に入れるのに最も適切なものを 1, 2, 3, 4 の中から一つ選びなさい。

(1) Judy made friends with many foreigners in a tennis club. They (　　) her to be an interpreter.

1. divided　**2**. spoiled
3. inspired　**4**. postponed

(2) A solar power plant (　　) to the people who want to preserve the environment, because it is thought to be environmentally friendly.

1. appeals　**2**. motions
3. participates　**4**. crashes

(3) The natural resources of the country were (　　). It was caused by the lack of good planning by the national leaders.

1. reflected　**2**. involved
3. valued　**4**. exhausted

(4) Mr. Sasaki (　　) his post in the government five years ago. Since then he has been acting as a volunteer helper for local people.

1. confessed　**2**. resigned
3. formulated　**4**. derived

(5) If you (　　) rugby with American football, you will find many differences.

1. complete　**2**. compare
3. complicate　**4**. compromise

Point!

選択肢の動詞はすべて超重要！　しっかり覚えよう。

２級で増えるスペルの似た単語の混同に注意！

解答と解説

(1) 訳 **ジュディはテニスクラブで多くの外国人と仲良くなった。彼らは彼女を励まして，通訳者になる気にさせた。** 正解 **3**

解説 They は１文目の many foreigners を指す。ジュディが通訳者になることを彼らがどうしたか考える。interpreter「通訳者」。**1**. divide「分ける, 分配する」 **2**. spoil「甘やかす，だめにする」 **3**. inspire「奮起させる」，inspire A to *do*「A を励まして～する気にさせる」 **4**. postpone「延期する（＝ put off）」。

(2) 訳 **太陽光発電は，環境を保護したいと願う人々の心に訴える。なぜならそれは，環境に優しいと考えられているからだ。** 正解 **1**

解説 環境に優しいと考えられる太陽光発電が，環境保護を願う人にとってどうなのか考える。**1**. appeal「訴える」 **2**. motion「身振りで合図する」 **3**. participate「参加する」 **4**. crash「衝突する」。

(3) 訳 **その国の天然資源は枯渇した。それは国のリーダーたちの計画性のなさによって引き起こされた。** 正解 **4**

解説 天然資源がどうなったのかを考える。２文目の caused，lack of good planning から悪いことが起こったと推測できる。natural resources「天然資源」。**1**. reflect「反射する」 **2**. involve「含む」 **3**. value「評価する」 **4**. exhaust「使い果たす」。

(4) 訳 **ササキ氏は５年前に政府の職を辞任した。それ以来，彼は地元の人々の自発的な支援者として活動している。** 正解 **2**

解説 政府の職をどうしたら, 別の活動ができるか考える。**1**. confess「告白する」 **2**. resign「辞職する」 **3**. formulate「公式で表す」 **4**. derive「引き出す」。

(5) 訳 **もしラグビーとアメリカンフットボールを比べれば，きみには多くの違いが分かるだろう。** 正解 **2**

解説 ラグビーとアメリカンフットボールをどうすれば多くの違いが分かるのか考える。**1**. complete「終える」 **2**. compare「比較する」 **3**. complicate「複雑にする」 **4**. compromise「曲げる，妥協する」。

テーマ

5 文章中の動詞選択②

学習日	目標時間	得点
/	1問 30秒	/5 合格点3点

次の(1)から(5)までの(　　)に入れるのに最も適切なものを 1，2，3，4 の中から一つ選びなさい。

(1) Mr. Robert (　　) $10,000 to the Red Cross. A local newspaper covered the news in detail.

1. polluted　**2**. restored
3. suppressed　**4**. donated

(2) Brian didn't know much about the town he moved to. A city staff member has (　　) him with the necessary information.

1. urged　**2**. opposed
3. supplied　**4**. resembled

(3) It is wrong to (　　) against someone because of race, religion, or sex.

1. discriminate　**2**. transform
3. explode　**4**. shrink

(4) Tim spent too much time (　　) the behavior of birds in the park. Bird watching is the only hobby he enjoys.

1. translating　**2**. observing
3. pretending　**4**. deleting

(5) When the incident occurred, Adam was with us at the meeting. We (　　) to the police that he was innocent.

1. asserted　**2**. surrendered
3. rumored　**4**. dismissed

Point!

目的語と意味がつながるかどうかも正解の決め手になる。

選択肢に知らない動詞があったら，消去法でしぼろう！

解答と解説

(1) 訳 **ロバートさんは1万ドルを赤十字に寄付した。地元の新聞社が詳細にそのニュースを載せた。** 正解 4

解説 新聞社が記事にしたのは1万ドルをどうしたからかを考える。in detail「詳細に」。**1**. pollute「汚染する」 **2**. restore「回復させる」 **3**. suppress「鎮圧する」 **4**. donate「寄付する」。

(2) 訳 **ブライアンは，自分が引っ越した町についてあまり知らなかった。市の職員が彼に必要な情報をくれた。** 正解 3

解説 町のことをよく知らない人に，必要な情報をどうするか考える。
1. urge「強要する」 **2**. oppose「反対する」 **3**. supply「供給する」 **4**. resemble「似ている」。

(3) 訳 **人を人種，宗教，あるいは性別によって差別するのは間違いだ。**

解説 人種や宗教などで，人をどうするのかを考える。
1. discriminate「差別する」 **2**. transform「変形する」 **3**. explode「爆発する」 **4**. shrink「縮む」。

(4) 訳 **ティムは公園で鳥の生態を観察するのに時間を費やしすぎた。バードウォッチングは彼が楽しむ唯一の趣味なのだ。** 正解 2

解説 公園で鳥の生態(the behavior of birds)をどうしたかを考える。2文目では Bird watching と言い換えられている。
1. translate「翻訳する」 **2**. observe「観察する」 **3**. pretend「振りをする」 **4**. delete「削減する」。

(5) 訳 **その事件が起きたとき，アダムは会議で私たちといっしょだった。私たちは警察に，彼は無実だと主張した。** 正解 1

解説 アダムの無実を知っているので，それを警察にどうするか考える。innocent「無罪の，無害の」。
1. assert「主張する」 **2**. surrender「降伏する」 **3**. rumor「うわさする」 **4**. dismiss「解雇する」。

テーマ
6 文章中の動詞選択③

学習日	目標時間	得点
／	1問 30秒	／5 合格点3点

次の(1)から(5)までの(　　)に入れるのに最も適切なものを 1, 2, 3, 4 の中から一つ選びなさい。

(1) We have to protect nature from destruction. The local people are also making efforts to (　　) wild animals for future generations.

1. promote　　**2**. polish
3. praise　　**4**. preserve

(2) Previously in South Africa, racial discrimination against black people had been done publicly. In those days freedom of speech was tightly (　　).

1. restricted　　**2**. satisfied
3. benefited　　**4**. chased

(3) Today in Japan, we can eat almost everything cheaply and safely, whereas many developing countries suffer from food shortages. We should not (　　) about our food.

1. combine　　**2**. collapse
3. complain　　**4**. campaign

(4) This university was (　　) in 1949. Since then, over 100,000 students have graduated from here.

1. represented　　**2**. indicated
3. established　　**4**. analyzed

(5) In spite of his riches, Mr. Jones had a bad reputation for bad conduct. In the end he was (　　) by the club.

1. revised　　**2**. rejected
3. regarded　　**4**. revealed

com－，re－ など似た動詞をきちんと区別しよう！

(　　)前後の副詞，目的語から選択肢をしぼろう！

解答と解説

(1) 訳 **我々は自然を破壊から守らなければならない。地元の人々もまた，後世のために野生動物を保護しようと努力している。**

解説 自然保護の活動の一つとして，野生動物をどうするか考える。wild animals「野生動物」。for future generations「後世に」。

1. promote「推進する」 **2**. polish「磨く」 **3**. praise「賞賛する」 **4**. preserve「保護する，保存する」。

(2) 訳 **南アフリカでは以前，黒人に対する人種差別が公然と行われていた。そのころは，演説の自由は厳しく制限されていた。**

解説 人種差別が公然と行われる国で，演説の自由はどうだったのかを考える。

1. restrict「制限する」 **2**. satisfy「満足させる」 **3**. benefit「恩恵を与える」 **4**. chase「追いかける」。

(3) 訳 **多くの発展途上国が食糧不足に苦しむ一方，今日，日本では安く安全にほぼすべてのものを食べられる。食べ物の不平を言うべきではない。**

正解 3

解説 食糧不足のない状況で，食べ物についてどうすべきではないのかを考える。

1. combine「結合する」 **2**. collapse「崩壊する」 **3**. complain「不平を言う」 **4**. campaign「運動を起こす」。

(4) 訳 **この大学は1949年に設立された。それ以降，10万人を超える学生がここを卒業した。**

解説 「大学が(　)されて以来」の空所に入る語を探す。**1**. represent「代表する」 **2**. indicate「指示する」 **3**. establish「設立する」 **4**. analyze「分析する」。

(5) 訳 **裕福であるにもかかわらず，ジョーンズ氏は悪い行いのせいで評判が悪かった。結局，彼はそのクラブへの入会を拒否された。**

解説 裕福でも評判が悪かったので，入会できなかったと考える。have a bad reputation「評判が悪い」。**1**. revise「改訂する」 **2**. reject「拒否する」 **3**. regard「みなす」 **4**. reveal「明らかにする」。

Part 1 短文の語句空所補充

テーマ

7 会話文中の動詞選択

学習日	目標時間	得点
/	1問 30秒	/5 合格点3点

次の(1)から(5)までの(　　)に入れるのに最も適切なものを 1, 2, 3, 4 の中から一つ選びなさい。

(1) **A**：What's wrong with you, Mike? You look depressed.

B：Exactly. I must (　　) Bob for the damage I caused while driving his car.

1. compensate　**2**. subscribe　**3**. prohibit　**4**. embarrass

(2) **A**：Anna, I heartily (　　) you on the arrival of your healthy baby!

B：Thank you, Sanae. I'm very thankful that you gave me dry milk.

1. undertake　**2**. manufacture　**3**. regulate　**4**. congratulate

(3) **A**：You (　　) yourself to your work with such an enthusiasm. I don't know any other person like you.

B：Thank you very much for your compliment, boss.

1. negotiate　**2**. devote　**3**. withdraw　**4**. transfer

(4) **A**：Miki, what are you going to do after entering a university?

B：Well, of course I (　　) to be successful at both studying and sports activities.

1. refuse　**2**. bother　**3**. intend　**4**. troop

(5) **A**：I'm (　　) to hear that your father left the hospital yesterday.

B：You can say that again, Linda.

1. relieved　**2**. related　**3**. recalled　**4**. registered

(　　)のないほうの人物の反応が大きなヒントになる。

後ろに不定詞が続いていたら，意味がつながるかに注意！

解答と解説

(1) 訳 A：何かあったのかい，マイク？　落ち込んでるみたいだけど。
B：そのとおりなんだ。ボブの車を運転したときに引き起こした損害を彼に償わなければならないんだ。

正解 1

解説 人の車を運転して損害をもたらした場合，どうしなければならないか考える。look depressed「落ち込んで見える」。**1**. compensate「償う」　**2**. subscribe「予約購読する」　**3**. prohibit「禁止する」　**4**. embarrass「困惑させる」。

(2) 訳 A：アンナ，健康な赤ちゃんが生まれたことを心から祝福するわ！
B：ありがとう，サナエ。粉ミルクをいただいて本当に感謝してるわ。

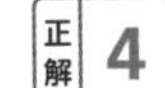
正解 4

解説 B がお礼を述べているので，A はお祝いを言っていると考える。
1. undertake「引き受ける」　**2**. manufacture「製造する」　**3**. regulate「規制する」　**4**. congratulate「祝福する」。

(3) 訳 A：あなたはすばらしい熱意で仕事に専念していますね。あなたのような人をほかには知りません。
B：おほめくださり，ありがとうございます。

正解 2

解説 熱意で仕事にどうしているのか考える。compliment「賛辞」。
1. negotiate「交渉する」　**2**. devote「ささげる」，devote oneself「専念する」
3. withdraw「引っ込める」　**4**. transfer「移す，転任させる」。

(4) 訳 A：ミキ，大学に入学したら，そのあとはどうするつもり？
B：ええ，もちろん文武両道で頑張るつもりよ。

正解 3

解説 勉強とスポーツ両方をどうするか考える。**1**. refuse「拒絶する」　**2**. bother「悩ませる」　**3**. intend「意図する」, intend to *do*「～するつもりだ」　**4**. troop「ぞろぞろ集まる」。

(5) 訳 A：あなたのお父さんが昨日退院したと聞いて安心しました。
B：まったくそのとおりです，リンダ。

正解 1

解説 知人が退院したと聞いてどう感じるか考える。You can say that again.「まったくそのとおりです」。**1**. relieve「安心させる」，be relieved「安心する，ほっとする」　**2**. relate「関連づける」　**3**. recall「思い出す」　**4**. register「登録する」。

テーマ 8 文章中の形容詞選択

学習日 ／　目標時間 1問 30秒　得点 ／5 合格点 3点

次の(1)から(5)までの(　　)に入れるのに最も適切なものを 1, 2, 3, 4 の中から一つ選びなさい。

(1) Brad is so (　　). He often gives his neighbors valuable presents after returning from a trip.

1. severe　　**2**. organic
3. generous　　**4**. fragile

(2) Babies often cry on trains and might make you feel uneasy. You must be (　　) with a baby.

1. patient　　**2**. vague
3. accurate　　**4**. evident

(3) John made a plan to achieve his goal without consideration. It had many (　　) difficulties to do.

1. solar　　**2**. curious
3. blank　　**4**. practical

(4) It is always said that thinking much of customers is the most important. However, companies sometimes forget that because customers are often (　　).

1. invisible　　**2**. stable
3. capable　　**4**. flexible

(5) The students in the class argued for hours. In the end, they concluded that there was no simple solution for such a (　　) problem.

1. innocent　　**2**. complex
3. fluent　　**4**. automatic

名詞を伴う場合は，選択肢ときちんとつながるかで判断する！

選択肢の形容詞はすべて超重要！　しっかり覚えよう。

解答と解説

(1) 訳 **ブラッドはとても気前がよい。彼は旅行から帰るとしばしば近所の人たちに高価な贈り物をする。**

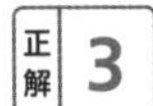

解説 しばしば高価な贈り物をする人がどんな人か当てはまる語を選ぶ。
1. severe「厳しい」 **2**. organic「有機体の，有機肥料の」 **3**. generous「寛大な，気前のよい」 **4**. fragile「壊れやすい」。

(2) 訳 **赤ん坊は電車内で泣き，人を落ち着かなくさせることがあるかもしれない。赤ん坊に対しては忍耐強くならなければならない。**

解説 電車で泣いている赤ん坊にどうあるべきか考える。uneasy「落ち着かない」。
1. patient「忍耐強い」 **2**. vague「曖昧な」 **3**. accurate「正確な」
4. evident「明白な」。

(3) 訳 **ジョンはじっくりと考えることなく，自分の目標を達成するための計画を立てた。その計画には，多くの現実的な困難さがあった。**

解説 熟考しなかった計画にどんな困難さが起こるのか，当てはまるものを選ぶ。
without consideration「じっくり考えないで」。**1**. solar「太陽の」 **2**. curious「好奇心の強い」 **3**. blank「空っぽの」 **4**. practical「現実的な，実際の」。

(4) 訳 **顧客を尊重することが最も大切だとつねに言われる。しかし，企業は時にそれを忘れてしまう。なぜなら顧客はしばしば目に見えないからだ。**

正解 1

解説 大切だと言われていても忘れてしまうのは，顧客がどういうものだからかを考える。think much of ～「～を尊重する」。**1**. invisible「目に見えない」
2. stable「安定した」 **3**. capable「可能な」 **4**. flexible「柔軟な」。

(5) 訳 **学生たちは教室で何時間も議論した。結局，そんな複雑な問題に簡単な解決策はない，と彼らは結論づけた。**

解説 簡単な解決策がないのはどんな問題か，選択肢から探す。
1. innocent「無罪の，無害の」 **2**. complex「複雑な」 **3**. fluent「流暢な」
4. automatic「自動の」。

テーマ
9 文章中の副詞選択

学習日 ／　目標時間 1問 30秒　得点 ／5 合格点3点

次の(1)から(5)までの(　　)に入れるのに最も適切なものを 1，2，3，4 の中から一つ選びなさい。

(1) Yasuhito is (　　) a man of few words. But when needed, such as in a discussion, he is talkative.

1. rarely　　**2**. indeed
3. furthermore　　**4**. chilly

(2) Mr. Marshall sometimes enjoys watching a baseball game at a ballpark. But (　　) he watches soccer games on TV.

1. bump　　**2**. mostly
3. currently　　**4**. vacantly

(3) The other day, I saw my girlfriend Sarah walking with a strange man cheerfully. That night, I was very tired, (　　) I was unable to sleep well.

1. eagerly　　**2**. occasionally
3. confidently　　**4**. nevertheless

(4) I had a table tennis match yesterday. During the match, I was so nervous that I could (　　) play my regular level.

1. definitely　　**2**. accordingly
3. hardly　　**4**. automatically

(5) I called a travel agency to make an airline reservation to Guam for next weekend. But all the flights were full and (　　) I couldn't get a flight.

1. thus　　**2**. excessively
3. delicately　　**4**. suddenly

(4) hardly など，形容詞形と意味が大きく異なる単語に注意！

副詞問題では，文全体の流れをとらえることが最重要！

解答と解説

(1) 訳 **ヤスヒトは本当に口数の少ない男だ。しかし討論などの必要な場合には，彼は口数が多くなる。**

解説 必要なとき以外はどのように口数が少ないのか，当てはまるものを考える。talkative「よくしゃべる」。**1**. rarely「めったに～ない」 **2**. indeed「本当に」 **3**. furthermore「さらに」 **4**. chilly「冷淡に」。

(2) 訳 **マーシャル氏はときどき，球場で野球の試合を見て楽しむ。しかしたいていはテレビでサッカーの試合を見る。**

解説 1文目の sometimes「ときどき」と呼応し，時を表す副詞が入る。**1**. bump「どしんと」 **2**. mostly「たいてい」 **3**. currently「現在」 **4**. vacantly「空虚に」。

(3) 訳 **先日，ぼくはガールフレンドのサラが知らない男性と楽しそうに歩いているのを見かけた。その夜はとても疲れていたにもかかわらず，よく眠れなかった。**

解説 疲れていたのに眠れなかった，となるので，逆接の意味の副詞を探す。**1**. eagerly「熱心に」 **2**. occasionally「ときおり」 **3**. confidently「自信を持って」 **4**. nevertheless「それにもかかわらず」。

(4) 訳 **昨日，卓球の試合があった。試合中，私はとても緊張してしまい，いつものレベルのプレーがほとんどできなかった。**

解説 緊張してしまい，いつものプレーがどうなったかを考える。**1**. definitely「明確に」 **2**. accordingly「それに応じて」 **3**. hardly「ほとんど～ない」 **4**. automatically「自動的に」。

(5) 訳 **私は来週末のグアム行きの飛行機を予約するため，旅行会社に電話した。しかしすべて満席であり，したがって航空券は手に入らなかった。**

正解 1

解説 座席がいっぱいのため航空券が手に入らなかった，となるので，順接の副詞が入る。**1**. thus「したがって」 **2**. excessively「過度に」 **3**. delicately「微妙に」 **4**. suddenly「突然」。

テーマ 10 会話中の熟語の名詞選択

学習日 ／　目標時間 1問 30秒　得点 ／5 合格点3点

次の(1)から(5)までの(　　)に入れるのに最も適切なものを 1, 2, 3, 4 の中から一つ選びなさい。

(1) **A**：How was your summer vacation?
B：On the (　　), it was fantastic.

1. whole　**2**. less
3. much　**4**. all

(2) **A**：Ken didn't pass the entrance examination. He said it was his first failure in his life.
B：Well, in the long (　　), it will be a good experience for him.

1. walk　**2**. time
3. run　**4**. while

(3) **A**：This phone is out of (　　). I can't get through to an operator.
B：OK. I'll go to the information desk to ask.

1. work　**2**. order
3. move　**4**. date

(4) **A**：I think Robin's table manners are (　　) but good.
B：I agree. I can't stand the noises he makes while he is eating.

1. nothing　**2**. something
3. everything　**4**. anything

(5) **A**：Peter's father is so gentle and energetic.
B：Above (　　), he is always kind to children.

1. those　**2**. all
3. them　**4**. theirs

名詞のもとの意味と大きく変わることがあるので注意！

熟語としての全体の形と意味を正しく覚えよう。

解答と解説

(1) 訳 **A：夏休みはどうだった？**
B：概してすばらしかったよ。

正解 1

解説 **1**. on the whole で「**概して，全体的に**」という意味の熟語。選択肢 **2** ～ **3** を空所に入れても熟語にはならない。

(2) 訳 **A：ケンは入学試験に失敗したよ。人生で最初の失敗だって。**
B：ああ，長い目で見れば，彼にとってはいい経験になるよ。

正解 3

解説 失敗が「長い(　)，いい経験になる」に当てはまる熟語を選ぶ。
3. in the long run「**長い目で見れば**」。

(3) 訳 **A：この電話故障しているわ。オペレーターにつながらないの。**
B：いいよ。受付に行って聞いてくるよ。

正解 2

解説 **A** の発言から電話に何か問題があるのが分かる。information desk「(ホテルなどの)受付」。
1. out of work「**失業して**」 **2**. out of order「**故障して**」 **4**. out of date「**時代遅れの**」。

(4) 訳 **A：ロビンのテーブルマナーは少しもよくないと思うよ。**
B：賛成だね。食事中に彼が立てる音には我慢できない。

正解 4

解説 **A** に賛成している **B** の発言から，ロビンのテーブルマナーが悪いことが分かる。
1. nothing but ～「**たった～だけ**」 **4**. anything but ～「**少しも～ない**」。

(5) 訳 **A：ピーターのお父さんは優しいし活動的だよね。**
B：とりわけ，いつも子どもたちに親切だね。

正解 2

解説 **A** がピーターのお父さんをほめたあとに，**B** が「子どもたちに親切」と補足している。**2**. above all「**とりわけ，なによりも**」。

Part 1 短文の語句空所補充

熟語問題

テーマ
11 文章中の熟語の名詞選択

学習日
目標時間
1問
30秒
得点
5
合格点3点

次の(1)から(5)までの(　　)に入れるのに最も適切なものを 1，2，3，4 の中から一つ選びなさい。

(1) Mr. Kawashima has a good command of many languages. He can speak French and German, to say (　　) of English.

1. something　　**2**. nothing
3. anything　　**4**. everything

(2) George offered to help me finish the work, but I did it almost by myself. In other words, the good performance had (　　) to do with him.

1. little　　**2**. much
3. few　　**4**. many

(3) At first I wanted to go to Brazil this month. However, in (　　) of the circumstances, I decided to wait until next month.

1. place　　**2**. favor
3. case　　**4**. light

(4) Meg told me that she didn't love me anymore. I made up my (　　) not to see her again.

1. point　　**2**. demand
3. mind　　**4**. fury

(5) My father bought me a nice watch. I was very happy because that was (　　) less than what I wanted.

1. anything　　**2**. everything
3. something　　**4**. nothing

(1), (5) の～ thing など，まぎらわしい選択肢も頻出！

別冊(p.60 ～)の例文などを活用し，文章で覚えるのが効果的！

解答と解説

(1) 訳 **カワシマ氏は多くの言語を操る。英語は言うまでもなく，フランス語やドイツ語を話すことができる。** 正解 **2**

解説 多くの言語を操り，「英語は(　)，フランス語やドイツ語を話せる」に当てはまる熟語を考える。have a good command of ～「～を自由に操る」。
2. to say nothing of ～「**～は言うまでもなく**」。

(2) 訳 **ジョージは私がその仕事を終える援助を申し出たが，私はほとんど１人で行った。言い方を換えれば，そのよい出来栄えは彼とはほとんど関係ない。** 正解 **1**

解説 ジョージは申し出ただけなので，仕事の成果にはほとんど関係がなかった，と言える。in other words「言い方を換えれば」。
1. have little to do with ～「**～とほとんど関係がない**」 **2**. have much to do with ～「**～と大いに関係がある**」。

(3) 訳 **最初，ぼくは今月ブラジルに行きたかった。しかし，状況を考えて，来月まで待つことに決めた。** 正解 **4**

解説 ブラジル行きを延期したのは，状況をどうしたからか。circumstances「状況，事情」。**1**. in place of ～「**～の代わりに**」 **2**. in favor of ～「**～に賛成して**」 **3**. in case of ～「**～の場合**」 **4**. in light of ～「**～を考慮して**」。

(4) 訳 **メグはもうぼくを愛していないと言った。ぼくはもう二度と彼女には会わないことを心に決めた。** 正解 **3**

解説 愛していないと言われ，会わないと決めた，と考えられる。
1. point「**点**」 **2**. demand「**要求**」 **3**. mind「**精神，心**」，make up *one's* mind「**決心する**」 **4**. fury「**激怒**」。

(5) 訳 **父は私にすてきな腕時計を買った。その時計は私の欲しかったものにほかならなかったので，とてもうれしかった。**

解説 欲しかったものとどうだったからとてもうれしかったのか考える。
4. nothing less than ～「**～にほかならない**」。

Part 1 短文の語句空所補充

テーマ 12 会話中の熟語の動詞選択

学習日	目標時間	得点
/	1問 30秒	/5 合格点3点

次の(1)から(5)までの(　　)に入れるのに最も適切なものを 1，2，3，4 の中から一つ選びなさい。

(1) **A**：Hi, Gloria. Can I talk with you a minute?
B：I'm sorry, but I don't feel like (　　) with anyone right now.

1. talking　**2**. to talk
3. talked　**4**. talk

(2) **A**：Hello. I'm Keita Suzuki from Techcom Corporation. Can I speak to Cindy?
B：OK. (　　) the line, please. I'll transfer you to her.

1. Keep　**2**. Have　**3**. Wait　**4**. Hold

(3) **A**：Hidetoshi is now (　　) in a young singer.
B：Really? I thought he was only interested in anime.

1. absorbed　**2**. destroyed
3. melted　**4**. gathered

(4) **A**：What do you say I pick this doll as a present, Yurina?
B：(　　) from the price, it's just what you wanted.

1. Preventing　**2**. Judging
3. Conquering　**4**. Evolving

(5) **A**：Our company is looking for someone who can (　　) out a plan rather than form a plan.
B：I have never given up a job halfway no matter how difficult it is.

1. point　**2**. make　**3**. carry　**4**. wear

Point!

原形，現在分詞，過去分詞など動詞の形にも注意！

一見当てはまりそうでも，熟語になる動詞かしっかり考えよう。

解答と解説

(1) 訳 **A：やあ，グロリア。ちょっと話せるかい？**
B：ごめんなさい，でも今，だれとも話したくないの。

正解 1

解説 **A** に話しかけられて断っていることから，「話したくない，話せない」状況であると考えられる。feel like *do*ing「～したい」の否定形で選択肢 **1** が正解。

(2) 訳 **A：もしもし，テックコム社のスズキ・ケイタと申します。シンディさんをお願いします。**
B：分かりました。そのままお待ちください。おつなぎします。

正解 4

解説 電話での会話。**B** が最後に電話をつなぐと言っているので，切らないで待つようお願いしている，と考える。**4**. hold the line「電話を切らないでいる」。

(3) 訳 **A：ヒデトシは今若い歌手に夢中なんだ。**
B：そうなの？　彼はアニメにしか興味がないと思ってたよ。

正解 1

解説 **B** の be interested in ～「～に興味がある」で言い換えられる熟語を探す。
1. absorb「吸収する」，be absorbed in ～「～に熱中している」 **2**. destroy「破壊する」 **3**. melt「溶かす」 **4**. gather「集める」。

(4) 訳 **A：この人形を贈り物にどうかな，ユリナ。**
B：値段から判断すると，ちょうどいいんじゃないの。

正解 2

解説 ちょうど欲しかったものだということを，値段からどうしたのか考える。
1. prevent「妨げる」，prevent A from *do*ing「A が～するのを邪魔する」
2. judge「判断する」，judging from ～「～から判断すると」 **3**. conquer「征服する」 **4**. evolve「進化させる」。

(5) 訳 **A：我が社は，計画を立てるよりも，計画を実行できる人を求めています。**
B：私はいかに困難でも，仕事を途中であきらめたことがありません。

正解 3

解説 rather 以下の「計画を立てる」と対になることを考える。
1. point out ～「～を指摘する」 **2**. make out ～「～を理解する」 **3**. carry out ～「～を実行する」 **4**. wear out ～「～を使い果たす」。

Part 1 短文の語句空所補充

熟語問題

テーマ
13 文章中の熟語の動詞選択

学習日	目標時間	得点
/	1問 30 秒	/5 合格点 3 点

次の(1)から(5)までの(　　)に入れるのに最も適切なものを 1，2，3，4 の中から一つ選びなさい。

(1) When I was in a taxi, a traffic accident occurred. I got off the taxi and (　　) to get to the office on time by train.

1. panicked　　**2**. converted
3. abandoned　　**4**. managed

(2) Judy is not good at cooking. Her husband is (　　) up with eating the same food every day.

1. monitored　　**2**. dealt
3. fed　　**4**. rubbed

(3) All the students except Kenta (　　) in their reports to their professor. His excuse was not believable, which made him lose his trust.

1. looked　　**2**. turned
3. ran　　**4**. stood

(4) Alice's father opposed her marriage because her boyfriend was deeply in debt. She had to (　　) off her wedding a month before the ceremony.

1. make　　**2**. call
3. set　　**4**. pull

(5) John asked me to lend him money to participate in a strange gathering. I thought he was old enough to (　　) better than to spend money on things like that.

1. know　　**2**. think
3. use　　**4**. come

Point!

動詞のもとの意味と大きく変わることがあるので注意しよう。

ヒントになる，(　　)のあとの前置詞に注目！

解答と解説

(1) 訳 **私がタクシーに乗っていたとき，交通事故が起こった。私はタクシーを降りて，電車で何とか時間通りに事務所に到着した。**

正解 4

解説 タクシーから電車に乗り換え，「何とか間に合った」と考える。on time「時間通りに」。**1**. panic「うろたえさせる」 **2**. convert「変える」 **3**. abandon「捨てる」 **4**. manage「やってのける」，manage to *do*「何とか～する」。

(2) 訳 **ジュディは料理が得意ではない。彼女の夫は毎日同じ料理を食べるのにうんざりだ。**

正解 3

解説 毎日同じ料理を食べることを夫がどう感じるか，考える。

1. monitor「監視する」 **2**. deal「扱う」 **3**. feed「養う」，be fed up with ～「～に飽き飽きする」 **4**. rub「こする」。

(3) 訳 **ケンタ以外のすべての学生が教授にレポートを提出した。彼の言い訳は信じがたく，彼は信頼を失った。**

正解 2

解説 レポートを教授にどうするのかを考える。excuse「言い訳」。

1. look in ～「～に立ち寄る」 **2**. turn in ～「～を提出する」 **3**. run in ～「～に立ち寄る」 **4**. stand in ～「～の代理を務める」。

(4) 訳 **アリスの彼氏にはひどい借金があったので，彼女の父は2人の結婚に反対した。彼女は式の1か月前に結婚式を中止しなければならなかった。**

正解 2

解説 父の反対で結婚式をどうしなければならなかったのかを考える。debt「借金」。**1**. make off「急いで去る」 **2**. call off ～「～を中止する」 **3**. set off「出発する」 **4**. pull off ～「～をうまくやる」。

(5) 訳 **ジョンは奇妙な集会に参加するためにぼくにお金を貸すように頼んだ。ぼくは彼がそんなものにお金を使うよりもずっと分別がある年齢だと思っていた。**

正解 1

解説 better than to *do* があとに続いて熟語となる動詞は選択肢 **1** のみ。

1. know better than to *do*「～するよりもっと分別がある」。

Part 1 短文の語句空所補充

テーマ
14 会話中の動詞を含む熟語選択

学習日	目標時間	得点
／	1問 30秒	／5 合格点3点

次の(1)から(5)までの(　　)に入れるのに最も適切なものを 1，2，3，4 の中から一つ選びなさい。

(1) **A**：How do you like this new car? We can give you a special discount.
B：I'm planning to buy it (　　) the terms are acceptable to me.

1. disturbing if　**2**. mentioned as
3. provided that　**4**. exceeding like

(2) **A**：We would like to know your opinion. Does anyone want to (　　) the discussion?
B：Will you tell me more details about it? I'll come if possible.

1. put out　**2**. burst into　**3**. get over　**4**. take part in

(3) **A**：I would like to apply for the job. I am second to none in enthusiasm towards work.
B：I see. We are looking for someone who (　　) to work with co-workers.

1. breaks down　**2**. turns away　**3**. is willing　**4**. comes down

(4) **A**：Excuse me. Do you have Dan Brown's new book published last week?
B：Just a moment, please. I'll (　　) the book list.

1. go over　**2**. get off　**3**. long for　**4**. long with

(5) **A**：Daniel, stop (　　) with others. You should try to find the strong points of other people.
B：I know what you mean, Rena. I was wrong.

1. coming up　**2**. finding fault　**3**. doing away　**4**. settling down

(　　)のないほうの文に言い換え表現がある場合も！

熟語は，動詞だけでなく前置詞まできちんと覚えよう！

解答と解説

(1) 訳 **A：この新車はいかがですか？　特別割引もできますよ。**
B：条件が受け入れられるものであれば，買うつもりです。

正解 3

解説 空所後は，車を買うための条件。

1. disturb「**邪魔する**」 **2**. mention「**言及する**」 **3**. provide「**与える**」，provided that ～「**～という条件であれば**」 **4**. exceed「**超える**」。

(2) 訳 **A：あなた方の意見を聞きたいです。だれか討論に参加しませんか？**
B：詳細を教えてくれますか？　できれば参加したいです。

解説 意見を知るために，討論に参加する人を探している，と考える。detail「詳細」。**1**. put out ～「**～を消す**」 **2**. burst into ～「**突然～し始める**」 **3**. get over ～「**～から回復する**」 **4**. take part in ～「**～に参加する**」。

(3) 訳 **A：仕事に応募したいです。仕事への情熱はだれにも負けません。**
B：なるほど。私たちは，同僚と喜んで働く人を探しているのです。

解説 仕事に応募してきた**A**に，**B**がどういう人を求めているか伝えている。second to none「だれにも負けない」。**1**. break down「**故障する**」 **2**. turn away「**目をそらす**」 **3**. be willing to *do*「**喜んで～する**」 **4**. come down「**降りてくる**」。

(4) 訳 **A：すみません。先週発行のダン・ブラウンの新刊はありますか？**
B：少々お待ちください。ブックリストを調べてみます。

解説 本の在庫を聞かれ，リストをどうするか考える。**1**. go over ～「**～を調べる**」 **2**. get off ～「**～を降りる**」 **3**. long for ～「**～を熱望する**」。

(5) 訳 **A：ダニエル，人の欠点ばかり探すのはやめなさい。他人の長所を見つける努力をするべきよ。**
B：きみの言いたいことは分かるよ，レナ。ぼくが間違えていたよ。

解説 **A**の２文目で，人の長所を見つけるよう言っているので，その前の文では人の欠点を探さないよう忠告していると考える。

1. come up with ～「**～を提案する**」 **2**. find fault with ～「**～のあら探しをする**」 **3**. do away with ～「**～を取り除く**」 **4**. settle down「**平静になる**」。

テーマ

15 文章中の動詞を含む熟語選択

学習日	目標時間	得点
/	1問 30秒	/5 合格点3点

次の(1)から(5)までの(　　)に入れるのに最も適切なものを 1，2，3，4 の中から一つ選びなさい。

(1) Many of the international organizations have shortened names which are well known. IMF (　　) the International Monetary Fund.

1. stands for　　**2**. runs out of
3. gives in　　**4**. brings up

(2) There are several factors which (　　) the difference between baseball and softball. For example, we can tell by the size of the balls.

1. lay off　　**2**. turn down
3. account for　　**4**. yield to

(3) You shouldn't (　　) others even if they act strangely. People don't always do what you can understand.

1. make a fool of　　**2**. make money on
3. take account of　　**4**. take over from

(4) Even after getting a job, Lucy still (　　) her parents for living expenses. They are going to tell her to be independent.

1. shows off　　**2**. backs up
3. grows into　　**4**. relies on

(5) When I was walking in town, I (　　) a famous actor. He was friendly and signed my T-shirt.

1. looked into　　**2**. came across
3. looked up　　**4**. came from

Point!

2級では熟語全体が選択肢になる問題も頻出。

文全体の流れから，当てはまる熟語を探そう！

解答と解説

(1) 訳 **多くの国際機関にはよく知られている短縮された名前がある。IMF は国際通貨基金を表す。**

解説 shortened names「短縮された名前」についての文で，２文目は具体例である。**1**. stand for ～「**～を表す**」 **2**. run out of ～「**～を使い果たす**」 **3**. give in ～「**～を提出する**」 **4**. bring up ～「**～を育てる**」。

(2) 訳 **野球とソフトボールの違いを説明する要素はいくつかある。例えばボールの大きさでそれを表すことができる。**

解説 ボールの大きさのような，野球とソフトボールの違いを(　)する，に当てはまる熟語を探す。**1**. lay off ～「**～を一時解雇する**」 **2**. turn down ～「**～を断る**」 **3**. account for ～「**～を説明する**」 **4**. yield to ～「**～に屈服する**」。

(3) 訳 **他人が変わった行動をするからといってからかってはいけない。人がいつもあなたに理解できることをするとは限らない。**

解説 変わった行動をする人に対し，何をしてはいけないのか考える。
1. make a fool of ～「**～をからかう**」 **2**. make money on ～「**～で儲ける**」
3. take account of ～「**～を考慮する**」 **4**. take over from ～「**～から引き継ぐ**」。

(4) 訳 **仕事を手にしたあとでさえ，ルーシーはまだ両親に生活費を頼っている。両親は彼女に独立するよう伝えるつもりだ。**

解説 ２文目の「独立するよう伝える」から，今は頼っていると考える。
1. show off ～「**～を見せびらかす**」 **2**. back up ～「**～を支援する**」 **3**. grow into ～「**成長して～になる**」 **4**. rely on ～「**～に頼る**」。

(5) 訳 **町を歩いていたとき，有名な俳優とばったり会った。彼は親しみやすく，Ｔシャツにサインしてくれた。**

正解 2

解説 サインをもらえたのは，町でどうしたからか考える。
1. look into ～「**～を調査する**」 **2**. come across ～「**～に偶然出会う**」 **3**. look up ～「**～を調べる**」 **4**. come from ～「**～の出身である**」。

Part 1 短文の語句空所補充

テーマ

16 名詞を含む熟語選択

学習日	目標時間	得点
/	1問 30秒	/5 合格点3点

次の(1)から(5)までの(　　)に入れるのに最も適切なものを 1，2，3，4 の中から一つ選びなさい。

(1) **A**：Why don't you come to our party, Beth?
B：Thank you, Colin. I will come (　　).

1. by accident　　**2**. for instance
3. with pleasure　　**4**. in general

(2) Dan was very happy because Yuriko had accepted his invitation to go on a date. He could hardly wait, so he arrived at the station an hour (　　).

1. in advance　　**2**. for free
3. at a loss　　**4**. on the contrary

(3) **A**：Thanks, Eric, your advice is (　　). I've decided which university to enter.
B：It's nice of you to say that, Hiroyuki.

1. well off　　**2**. up to you
3. hand in hand　　**4**. to the point

(4) **A**：What do you think about my plan to have a meeting next Wednesday?
B：(　　) the date and place, everything sounds good to me.

1. On behalf of　　**2**. On account of
3. In regard to　　**4**. In return for

(5) Junpei was absorbed in Yumi's smile, while she enjoyed his company. (　　) they had a date.

1. On the other hand　　**2**. Before long
3. To the contrary　　**4**. In the distance

選択肢の語は頻出の熟語ばかりなので，全部覚えよう！

正解は空所前後のつながりから判断する！

解答と解説

(1) 訳 **A：ベス，私たちのパーティーに来ない？**
B：ありがとう，コリン。喜んで行くわ。

正解 **3**

解説 誘いに対し，行くと答えるのに適切な熟語を選ぶ。
1. by accident「偶然」 **2**. for instance「例えば」 **3**. with pleasure「喜んで」
4. in general「一般的に」。

(2) 訳 **ユリコがデートの誘いを受けてくれたので，ダンはとてもうれしかった。彼は待ちきれなくて，駅に1時間早く着いた。**

正解 **1**

解説 待ちきれなかったので駅に早く着いた，と考える。
1. in advance「前もって」 **2**. for free「無料で」 **3**. at a loss「途方にくれて」
4. on the contrary「それどころか」。

(3) 訳 **A：ありがとう，エリック，きみのアドバイスは適切だね。ぼくはどの大学に入るか決めたよ。**
B：そう言ってくれるとうれしいよ，ヒロユキ。

正解 **4**

解説 Bに感謝しているので，Bのアドバイスが役立ったと考える。
1. well off「裕福な」 **2**. up to ～「～次第で」 **3**. hand in hand「手に手をとって」
4. to the point「適切な，的を射た」。

(4) 訳 **A：来週水曜日に会議を開くというぼくの計画をどう思う？**
B：日にちと場所についてはまったく賛成だよ。

正解 **3**

解説「日にちと場所（　），賛成だ」の空所に入る接続表現を探す。
1. on behalf of ～「～を代表して」 **2**. on account of ～「～という理由で」
3. in regard to ～「～に関して」 **4**. in return for ～「～のお返しに」。

(5) 訳 **ジュンペイはユミの笑顔に夢中で，彼女も彼といっしょにいるのが楽しかった。ほどなく彼らはデートをした。**

正解 **2**

解説 互いに好意を持ち，デートをしているので，1文目と2文目が自然な流れでつながる熟語を選ぶ。**1**. on the other hand「一方で」 **2**. before long「ほどなく」 **3**. to the contrary「それに反して」 **4**. in the distance「遠くに」。

テーマ

17 さまざまな形の熟語選択

学習日 ／　目標時間 1問 30秒　得点 ／5 合格点 3点

次の(1)から(5)までの(　　)に入れるのに最も適切なものを 1, 2, 3, 4 の中から一つ選びなさい。

(1) In spite of my effort, I couldn't pass the entrance examination. My father said nothing (　　) my failure.

1. as to　　**2**. for the sake of
3. owing to　　**4**. in exchange of

(2) Emily tried to get everyone to agree to her proposal. But it was by (　　) means easy for her to satisfy everyone.

1. any　　**2**. some
3. no　　**4**. all

(3) The committee decided to elect Gloria as a new chairperson. We all went along (　　) the decision.

1. for　　**2**. of
3. at　　**4**. with

(4) **A**：I wonder if I should sign up (　　) the tour through the islands.
B：Oh, yes. You should do so by all means.

1. in　　**2**. for
3. by　　**4**. on

(5) **A**：I take it for (　　) that Tom passed the entrance examination.
B：I think that's natural. He is such a hard worker.

1. perceived　　**2**. granted
3. declined　　**4**. interrupted

（2）のように，1語変わると意味がさまざまに変わる熟語に注意！

意味からは推測しにくい前置詞は，熟語丸ごと覚えてしまおう。

解答と解説

(1) 訳 **努力したにもかかわらず，私は入試に落ちた。父は私の失敗に関して何も言わなかった。**

正解 1

解説「父は何も言わなかった」と「私の失敗」をつなぐ熟語を探す。
1. as to 〜「〜に関して」 **2**. for the sake of 〜「(目的・利益)のために」
3. owing to 〜「〜という理由で」 **4**. in exchange of 〜「〜と引き換えに」。

(2) 訳 **エミリーは皆から提案の賛成を得ようとした。しかし，皆を満足させることは決して容易ではなかった。**

正解 3

解説 2文目は逆接のButで始まるので，「提案に対し，全員の賛成を得ることは容易ではない」という意味になると考える。**1**. by any means「どうしても」
3. by no means「決して〜ない」 **4**. by all means「何がなんでも」。

(3) 訳 **委員会は，グロリアを新しい委員長に選出することを決めた。私たちは皆，その決定に同意した。**

正解 4

解説 委員会の決定に皆がどうしたか考える。go alongの後ろについて，「〜に賛成する」という意味になる前置詞を見つける。chairperson「委員長，議長」。
4. go along with 〜「〜に賛成する，〜とうまくいく」，go along「歩いていく，やっていく」。

(4) 訳 **A：その島巡りツアーに申し込むべきかしら。**
B：ああ，そうだよ。何がなんでもそうするべきだ。

正解 2

解説 ツアーに対してどうするか話し合っている。sign upの後ろについて，「〜に申し込む」という意味になる前置詞を探す。through the islands「島巡りの」。
2. sign up for 〜「〜に申し込む」。

(5) 訳 **A：トムが入学試験に合格したのは当然だと思うよ。**
B：当然だと思います。彼は大変な努力家ですよ。

正解 2

解説 努力家のトムが入試に受かったことはどういうことか，考える。
1. perceive「知覚する」 **2**. grant「認める」，take A for granted「Aを当然と思う」
3. decline「断る」 **4**. interrupt「邪魔をする」。

テーマ

18 前置詞・接続詞の選択

学習日 ／ 目標時間 1問 30秒 得点 ／5 合格点3点

次の(1)から(5)までの(　　)に入れるのに最も適切なものを 1，2，3，4 の中から一つ選びなさい。

(1) Mr. Williams and I have been acquainted (　　) each other for a long time. After coming to Japan, he has made many Japanese friends thanks to his cheerful character.

1. with　**2**. by　**3**. for　**4**. to

(2) Dictionaries are indispensable (　　) learning foreign languages. But these days many students substitute electronic dictionaries for the book form.

1. as　**2**. on
3. with　**4**. for

(3) Yumi's father told her not to sit (　　) late. He advised her about efficient ways of studying.

1. down　**2**. up
3. about　**4**. of

(4) **A**：(　　) time goes by, your English will certainly improve.
B：Thank you for your confidence, sir.

1. With　**2**. In
3. As　**4**. Under

(5) When Mr. Green became 65, he retired from his company, which he had managed for 25 years. His son took (　　) the business and made it bigger.

1. over　**2**. off
3. after　**4**. away

似た形の熟語が多いので，惑わずにしっかり覚えよう！

(4) の as など，さまざまな意味を持つ単語に注意！

解答と解説

(1) 訳 **ウィリアムズさんと私は長い間の知り合いだ。日本に来て以来，彼はその明るい性格で，たくさんの日本人の友人を作った。**

解説「～と知り合いである」を表す前置詞を考える。

1. be acquainted with ～「**～と知り合いである**」。

(2) 訳 **辞書は外国語を学ぶのに欠かせない。しかし最近，多くの学生は，電子辞書でその代用をしている。**

解説「辞書は外国語の学習に欠かせない」という文を作る前置詞を考える。substitute A for B「AでBを代用する」。

4. be indispensable for ～「**～に不可欠だ**」。

(3) 訳 **ユミの父親は彼女に夜更かししないように言った。彼は彼女に，効率的な勉強のやり方をアドバイスした。**

解説 父がユミに「遅くまで～しないように」言い，効率的な勉強のやり方を教えたことから，彼女が遅くまでどうしていたか考える。

1. sit down「**座る**」 **2**. sit up late「**夜更かしをする**」，sit up「寝ないで起きている」。

(4) 訳 **A：時が過ぎるにつれて，きみの英語は確実に上達するだろうね。**
B：おほめくださってありがとうございます，先生。

解説「時の経過」と「英語の上達」を関連づける接続詞を考える。confidence「信頼，信任」。

3. as「**～するにつれて**」，as time goes by「**時が過ぎるにつれて**」。

(5) 訳 **グリーン氏は65歳になったとき，25年間経営した自分の会社を辞した。彼の息子がその事業を引き継ぎ，さらに大きくさせた。**

解説 父の退職後，息子がその事業をどうしたのかを考える。

1. take over ～「**～を引き継ぐ**」 **2**. take off ～「**～を脱ぐ，取り除く**」 **3**. take after ～「**～に似ている**」 **4**. take away ～「**～を持ち去る**」。

攻略テクニック！

Part 2 長文の語句空所補充

POINT

※試験内容などは変わる場合があります

形　式	長文の空所に補充する句を4つの選択肢の中から1つ選ぶ
問題数	6問
目標時間	15分程度。1問を約2分で解くイメージ
傾　向	大問2のA, Bともに説明文が出題される。3～4段落構成で，語数は250 ～ 300語程度
対　策	出題は，文の流れに合う単語や熟語の選択。語彙力に加え文脈を読み取る力が必要

テクニック❶ 単語・熟語の知識を増やす！

「長文の空所補充」は，Part 1「**短文の語句空所補充」の長文バージョン**といえます。なるべく多くの単語・熟語を覚え語彙力を増強することが大切です。知らない単語は辞書を引いて調べ，選択肢の語句は，たとえ正解以外でも重要なので，もれなくチェックして覚えておきましょう。

テクニック❷ 各段落の要点をつかむ！

問題文には基本的に，一つの段落に空所が一つずつあります。各段落の要点をつかむことが，空所前後の文脈を読み取るかぎです。**トピック・センテンス**を見極めて，大まかな内容を把握しながら読みましょう。

トピック・センテンスとは，それぞれの**段落のポイントを簡潔に表す一文**のことで，たいてい，段落の１文目か２文目にあります。

テクニック❸ 空所の前後を手がかりにしよう！

「短文の空所補充問題」と同様に，この問題形式でも，空所前後の単語とのつながりが正解を導くヒントになります。文意を完全には理解できない場合，選択肢の語句と空所の前後を見比べ，**意味がつながるか，文法・語法的に正しいか**確認しましょう。

また，**前後の語句と組み合わせて熟語ができる選択肢**は高確率で正解です。

例えば，... (　　) the detail ... の問題で，選択肢が

1. take part in　**2.** put up with　**3.** make use of　**4.** pay attention to

の場合，空所後の the detail とつながって「細部まで注意を払う」という意味になる pay attention to が正解と考えられます。まず選択肢 **4** に当たりをつけ，ほかの選択肢が正解となりうる可能性を確かめながら読みましょう。

テクニック❹ 頻出の文修飾の副詞を覚える！

文修飾の副詞とは，Surprisingly「驚くべきことに」，Fortunately「幸運にも」のように，文全体にかかる副詞のことです。文修飾の副詞を選ぶ問題は頻出なので，よく覚えておきましょう。

この問題では，段落全体の展開を把握する必要があります。単語の意味を覚えるとともに，空所前後の文の論理関係を意識しながら読みましょう。このとき，筆者の意図を考えながら読み進めることが大切です。

文修飾の副詞の選択問題では，逆接や対照など，それまでの内容から**方向転換するような表現**がよく問われます。

テクニック❺ ディスコースマーカーを押さえる！

ディスコースマーカー（談話標識）とは，文の前後関係を表す語句です。要約や逆接，例示など，英文の流れを分かりやすく示す**案内標識の役割**を果たし，長文読解の助けとなります。テクニック❹の文修飾の副詞がディスコースマーカーとなることもあります。空所に適するディスコースマーカーを選ぶ問題も頻出なので，代表的な表現を覚えておきましょう。

〈例示〉 for example，for instance「例えば」
〈追加〉 furthermore「そのうえ」，in addition「加えて」
〈要約〉 in short「つまり」，summing up「要約すると」
〈順接〉 therefore「したがって」，thus「だから」
〈逆接〉 however「しかしながら」，nevertheless「それにもかかわらず」
〈対照〉 in contrast「対照的に」，on the other hand「一方」
〈原因・結果〉 That is because ～.「それは～だからだ」
That is why ～.「そういうわけで～」
as a result「結果として」

Part 2 長文の語句空所補充

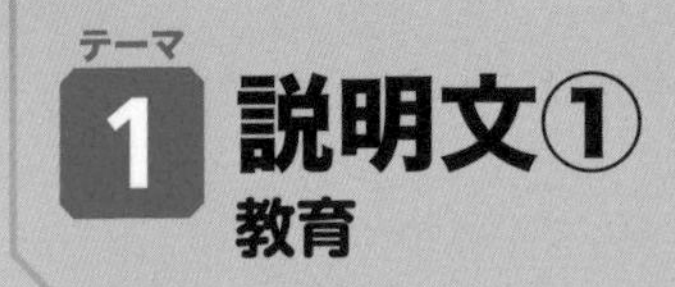

テーマ 1 説明文①
教育

次の英文を読み，その文意にそって(1)から(3)までの(　　)に入れるのに最も適切なものを 1，2，3，4 の中から一つ選びなさい。

Digital Natives

The Mooresville Graded School District has been in the spotlight for its digital education. The district is located in North Carolina and has approximately 5,500 students. In 2007, Mooresville started providing every child except in three elementary schools with a computer for their use at both home and school. Since then, the district has (**1**), attracting a great deal of interest from educators across the nation.

One of the great achievements is that the district's graduation rate was 90% in 2012, up 13% from five years ago. Another is that the district's attendance rate was up, dropouts down. Most remarkable of all is that the introduction of laptops into the classrooms has helped close racial performance gaps in the district, where 30% of the students are minorities and many of them are from (**2**), with about a quarter of them receiving free or reduced-price lunches.

However, Waldorf School of the Peninsula has been (**3**). No computers are allowed in the classrooms because they think that computers deprive the students of creative thinking, activity and human interaction. The school is in Silicon Valley, home to the world's largest technology companies like Google, Apple and Yahoo. Interestingly, 75% of the students have parents with a strong connection to the high technology field. Their parents regard the idea that computers can better teach their children to read or do arithmetic as ridiculous.

□ **(1)** **1.** published many books　**2.** refused some proposals
3. achieved great results　**4.** organized new rules

□ **(2)** **1.** selfish parents' interests　**2.** upper social class
3. mistaken personal ways　**4.** disadvantaged family backgrounds

□ **(3)** **1.** doing otherwise　**2.** playing the same
3. acting reasonably　**4.** pausing temporarily

賛成・反対それぞれの立場での説明があることが多い。

両方の事情・理由を把握しながら読もう。

解答と解説

(1) 解説 モーズビル学区はデジタル教育で注目を浴びていて，それ以来(Since then)「その地区がどうなる」ことで空所後の「国中の教育者たちの注目を集める」ことにつながるのかを考える。**3**. achieved great results「**大きな成果を収めている**」という文脈にするのが正しい。

正解 3

(2) 解説 空所後の receiving free or reduced-price lunches「無料もしくは割引された昼食を支給されている」から，**4**. disadvantaged family backgrounds「**恵まれない家庭環境**」にあることが分かる。

正解 4

(3) 解説 空所直後に「教室にコンピューターを持ち込むことを許可していない」とあり，モーズビル学区とは **1**. doing otherwise「**別のやり方で(教育を)行っている**」ことが分かる。

正解 1

訳

デジタルネイティブ

モーズビル学区はデジタル教育で注目を浴びている。その学区はノースカロライナ州にあり，約 5,500 人の生徒がいる。2007 年，モーズビル学区は 3 校の小学校の生徒以外の全生徒に，自宅でも学校でも使用できるパソコンを支給した。それ以来，その学区は大きな成果を収め，国中の教育者から多大なる関心を寄せられている。

大きな成果の一つはその学区の卒業率が 5 年前より 13% 上昇し，2012 年には 90% になったということだ。また，出席率は上昇し，退学率は減少した。最も注目に値するのは，教室へのノートパソコン導入で学区内に見られる人種間での成績の格差を縮めることができたということである。モーズビル学区に在籍する生徒の 30% が少数派の人種で，その多くは恵まれない家庭環境にあり，彼らの約 4 分の 1 が無料もしくは割引された昼食を支給されている。

しかし，ウォルドルフ・スクール・オブ・ザ・ペニンシュラはそれと反対のことを行っている。彼らはコンピューターが生徒から創造的な思考，活動および他者との交流を奪うと考えているため，教室へのコンピューター持ち込みを許可していない。この学校はグーグル，アップルやヤフーなどの世界最大の技術系企業の本拠地であるシリコンバレーにある。興味深いことに，在籍する生徒の 75% は，親が最先端技術の分野と強いつながりがある。彼らの親は，コンピューターのほうが上手に子どもに読むことや計算を教えられるという考えをばかげたものと見なしているのだ。

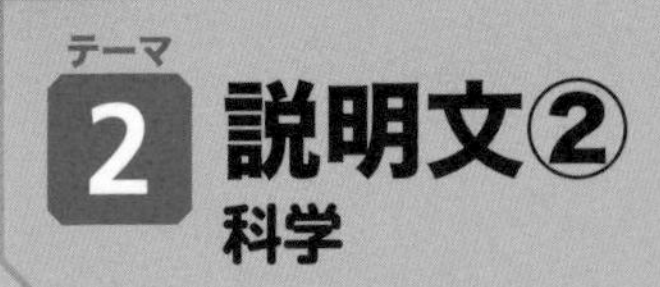

次の英文を読み，その文意にそって(1)から(3)までの(　　)に入れるのに最も適切なものを 1，2，3，4 の中から一つ選びなさい。

Unveiled by Science

Although people believe that organic foods are healthier, it may not be true. In the United States, organic food production is (**1**) by the Organic Food Production Act.* For example, foods that can be labeled as "organic" must be produced without the use of pesticides,* chemical fertilizers* and so on. As a result, organic foods cost twice as much as non-organic foods. Would you pay double to get organic foods if you knew that organic foods do not necessarily have more health benefits?

Researchers at Stanford University recently concluded that there were no significant differences in nutritional content between organic and non-organic foods with the exception of the fact that organic foods contain more phosphorus.* That doesn't mean, however, that organic foods have more health benefits than non-organic foods. (**2**) nearly every type of food contains some phosphorus and we can get enough phosphorus from a variety of food products.

Also, the researchers reported that the level of pesticides remaining in non-organic foods was higher, but the level (**3**) the safety standard set by Environmental Protection Agency. Whether to purchase and consume organic foods is a matter of personal preference, but what we should remember is that a well-balanced diet improves our health.

---

*Organic Food Production Act：有機食品生産法　*pesticides：農薬

*fertilizers：肥料　*phosphorus：リン

☐ **(1)** **1.** naturally distributed　**2.** strictly imported
　3. mainly suspected　**4.** heavily regulated

☐ **(2)** **1.** It is unfortunate　**2.** That is because
　3. This is how　**4.** So to speak

☐ **(3)** **1.** had to control　**2.** decided to revise
　3. proved to meet　**4.** managed to break

Point!

科学についての一般的な知識があれば，読解がスムーズになる。

for example, in spite of など文のつながりを表す語句に注意！

解答と解説

(1) 解説 空所後の For example に続く具体例は，自然食品生産の際にしなければならないことである。これらから，自然食品の生産は **4**. heavily regulated「**厳しく規制されて**」いることが分かる。

正解 4

(2) 解説 空所前に「リンを多く含むことが健康面で有利だとは限らない」とある。その理由の説明なので, **2**. That is because ～「**それは～だからだ**」が適切。

正解 2

(3) 解説 空所がある文の後半は but で始まるので，前半と対立，もしくは逆説的な内容になる。**3**. proved to meet「(基準など)**を満たすことが分かった**」が適切。

正解 3

訳

科学によってベールがはがされる

自然食品はより健康的であると信じられているが，それは事実ではないかもしれない。アメリカでは自然食品の生産は有機食品生産法によって厳しく規制されている。例えば，「自然」とラベル表示できる食品は農薬，化学肥料などを使用せずに生産されなければならない。その結果，自然食品はそうでない食品よりも倍の費用がかかる。自然食品は必ずしも健康面で利点があるわけではないということを知ったら，あなたは倍の値段を払って自然食品を買うだろうか。

最近, スタンフォード大学の研究者たちが次のような結論を出した。自然食品と非自然食品は, 自然食品のほうがリンを多く含むという点を除いて，栄養成分に関して大きな違いはない。しかし，これは自然食品のほうが非自然食品よりも健康面で有利であるという意味ではない。なぜなら，ほとんどすべての食品にリンが含まれており，私たちはいろいろな食品から十分なリンを摂取できるからである。

さらに，研究者たちは以下のように報告した。非自然食品に残留する農薬の水準は自然食品よりも高かったけれども，それは環境保護庁によって定められた安全基準を満たすものであることが分かった。自然食品を購入して摂取するかどうかは個人の好みの問題だが，忘れてはならないのはバランスのよい食事が私たちの健康増進に役立つということである。

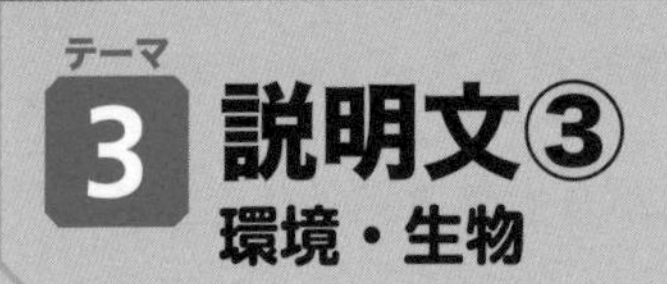

テーマ 3 説明文③
環境・生物

次の英文を読み，その文意にそって(1)から(3)までの(　　)に入れるのに最も適切なものを 1，2，3，4 の中から一つ選びなさい。

Treasure House of Wildlife

The Mekong River Basin has been gaining a lot of attention from researchers all over the world because it has displayed an astonishing biodiversity.* The Mekong is the world's 12th-longest river, and is an essential economic lifeline for more than 60 million people in Southeast Asia. According to the World Wildlife Fund (WWF), over 1,500 new species have been found in the Mekong region since 1997.

Here is a look at some of the most striking species newly identified in the region. A lizard named *Cnemaspis psychedelica* is characterized by its (**1**). The lizard has a blue-grey body, bright orange tail and feet, neck with black and yellow spots, and pale blue rings around its eyes. A new species of Quang's Tree Frog, discovered in Vietnam, also has a remarkable characteristic. In most frog species, males attract females with repetitive low sounds, "croak, croak." Quang's Tree Frog, (**2**), has an extensive repertoire of calls and it does not just repeat the same call again and again. In addition, the world's first eyeless huntsman spider* was discovered in a cave in Laos. Huntsman spiders named *Sinopoda scurion* have no eyes, which has been reported to be due to the spider's life without daylight in caves.

While such an extraordinary rate of discovery of new species has proved that the Mekong region has rich biodiversity, many are struggling to survive the loss of habitats these days. This serious situation has resulted from human-centered activities. In other words, the problem of their (**3**) has been caused by widespread deforestation, destruction of mangroves and excessive hunting.

*biodiversity：生物多様性　*huntsman spider：アシダカグモ

☐ **(1)** **1.** clear memory　**2.** subtle movement
　3. special method　**4.** unique coloration

☐ **(2)** **1.** on the other hand　**2.** in other words
　3. as a result　**4.** in the long run

☐ **(3)** **1.** primitive activities　**2.** shrinking habitats
　3. wealthy nature　**4.** rapid changes

環境・生物の話題に関連する単語を確認しておこう。

このテーマでは「環境問題」でしめくくられることが多い。

解答と解説

(1) 解説 空所後の文の「そのトカゲの胴体は青灰色で，……オレンジ色をしており，……黒と青色の斑点があり，……薄青色の輪がある」はすべてトカゲの **4**. unique coloration「**独特な色彩**」の説明である。

(2) 解説 第２段落第５文は一般的なカエル，第６文はクアンガイアマガエルの鳴き方を説明している。異なる両者の鳴き声を比較しているので，空所には対比を示す **1**. on the other hand「**一方**」が入る。

(3) 解説 第３段落第１文で「多くの種は生息地が失われていく中で必死にもがいている」とあり，その問題点は **2**. shrinking habitats「**縮小している生息地**」であると言える。

野生生物の宝庫

メコン川流域は驚くほど生物の種が多様なため，世界中の研究者の注目を集めている。メコン川は世界で 12 番目に長い川で，東南アジアの 6,000 万人以上の人々に欠かせない経済的な命綱だ。世界自然保護基金によれば，1997 年からメコン川流域では 1,500 超の新種が発見されている。

この地域で新しく確認された最も印象的な種を一部見てみよう。*Cnemaspis psychedelica* というトカゲはその独特な色彩が特徴である。そのトカゲの胴体は青灰色で，尻尾や足は明るいオレンジ色をしており，首には黒と黄色の斑点があり，目の周りには薄青色の輪がある。ベトナムで発見されたクアンガイアマガエルという新種も注目に値する特徴を持っている。大部分の種のカエルの場合，オスは「ケロ，ケロ」と低い声で繰り返し鳴くことでメスをひきつける。一方，クアンガイアマガエルは鳴き声のレパートリーが広く，何度も同じ声で繰り返し鳴くことはない。さらに，世界初の目がないアシダカグモがラオスの洞窟内で発見された。*Sinopoda scurion* と呼ばれるアシダカグモには目がなく，それは洞窟内の光がない生活が原因であると報告されている。

このように尋常でない速度で新種の生物が発見されていることから，メコン川流域が生物多様性に富むことは確かだが，多くの種は現在生息地が失われていく中で必死にもがいている。この深刻な状況は人間中心の活動が原因だ。つまり，彼らの生息地の縮小という問題は，広範囲の森林伐採，マングローブ林の破壊，および乱獲が原因なのである。

攻略テクニック！

Part 3 長文の内容一致選択

POINT

※試験内容などは変わる場合があります

形　式	長文を読み，その内容に関する質問の答えを４つの選択肢から選ぶ
問題数	8問
目標時間	２５分程度。1問を約３分で解くイメージ
傾　向	大問３のＡはＥメール，Ｂは３～４段落構成の説明文が出題される
対　策	語彙力に加え，段落および全体の話の展開をつかむ力が必要

Ｅメール

テクニック❶ ヘッダーと質問文から情報を読み取る！

Ｅメールのヘッダーには，**差出人・受取人・送信日時・件名**などの情報がつまっています。これらの情報は本文読解の手がかりとなるので，最初に確認しましょう。とくに件名(メールの用件)は，本文のテーマになっていることが多いので，必ず見ておきましょう。

また，Ｅメール問題はそれぞれの段落に関する質問が順に出題されることが多いので，まず先に質問文に目を通すと解答時間の短縮につながります。

テクニック❷ 差出人と受取人の関係をつかむ！

ヘッダーを確認したら，最初の段落を読み，差出人と受取人の関係をつかみましょう。２級で出題されるのは商用メールなので,「部下と上司」「取引先」「求人応募」「元同僚」などの関係が多く出てきます。

テクニック❸ 本文中の日時に注意！

依頼や仕事に関する打ち合わせの約束を取りつけるメール文では，日時についての質問文がよく出題されます。**本文中に，日付や時刻が出てきたら注意**しておきましょう。また，tomorrow や yesterday など，メール送信時を基準にした日時の表現が出てきたときは，ヘッダー部分の送信日時を確認しましょう。

説明文

テクニック❹ 質問文を先に読む！

長文を読み始める前に，**質問文と選択肢を先に読んでおきましょう。**質問文から内容の概要を予測し，重要なポイントを念頭に置いて読むと，長文でも効率よく読解できます。

質問文には，疑問文の答えを選択する形式と，文を完成させるのに適切な語句を選択する形式があります。例えば Some experts say that に続く語句を選択する問題が出た場合，「専門家が何と言っているか」に注目して長文を読めば，内容を理解しながら答えを見つけられます。

テクニック❺ 長文と選択肢の語句の言い換えに注意！

長文の語句が，選択肢では同じ意味を表す**別の語句に言い換えられている場合**があります。単語の学習では，ふだんから同意表現や反意表現も合わせて覚えることを意識しましょう。

言い換え表現のおもなパターンと具体例は次のとおりです。本番の試験で戸惑わないよう，しっかり押さえておきましょう。

〈同意表現〉

・go to school on foot「徒歩で学校へ行く」→ walk to school「学校まで歩く」
・be pleased at ～「～に喜ぶ」→ be delighted at ～「～に喜ぶ」
・begin to discuss「討議し始める」→ start an argument「議論を始める」

〈具体化〉

・mammals「哺乳類」→ cats and dogs「猫や犬」
・a bag for shopping「買い物のためのかばん」→ a shopping bag「買い物袋」
・a room for sleeping in「眠るための部屋」→ a bedroom「寝室」

〈抽象化〉

・baseball and soccer「野球やサッカー」→ ball game「球技」
・a piano and a guitar「ピアノやギター」→ musical instruments「楽器」
・France, Germany and Spain「フランス，ドイツ，そしてスペイン」
　→ some European countries「ヨーロッパのいくつかの国」

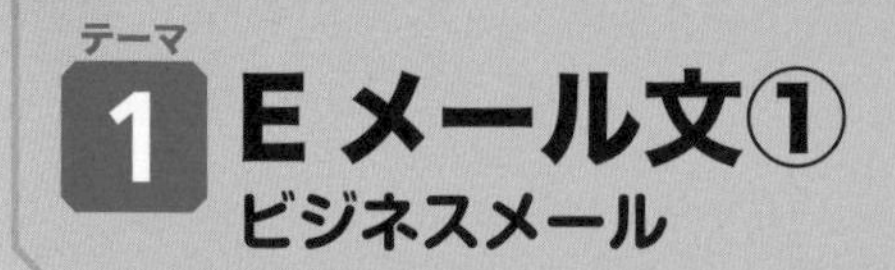

テーマ 1 Eメール文①
ビジネスメール

学習日
目標時間
1問
3分
得点
/3
合格点2点

次の英文の内容に関して，(1)から(3)までの質問に対して最も適切なもの，または文を完成させるのに最も適切なものを1，2，3，4の中から一つ選びなさい。

From: Steven Wu 〈s-wu@beemail.com〉
To: Emma Bouchard 〈ebouchard@qubeclibrary.org.ca〉
Date: February 4
Subject: application for a full-time librarian position
Attachment: résumé

....

Dear Ms. Bouchard,
My name is Steven Wu. My friend Emily Tremblay, one of your employees, recently informed me that you were seeking a full-time librarian and encouraged me to contact you. I am very interested in the position, and I have attached my résumé for your consideration.
I have a master's degree in library science. I also have eight years of experience working as a librarian in a public library. For the past eight years, I have been involved in two main areas at the library: user services and administrative services. As part of user services, I have taught visitors computer skills and Internet search techniques as an effective way to acquire the materials they are looking for. In addition, I have assisted in overseeing the daily operation of the library including classifying and cataloging library materials, training and supervising the staff.
I like to put things in order and have the interpersonal skills to communicate with visitors and staff effectively. I believe both my knowledge and work experience match your requirements. I am fluent in French and Spanish, with a keen interest in literature in those languages. I believe I can make a significant contribution to your library. Next week, I will be moving to your area. I would appreciate the opportunity to discuss the position with you at your convenience. If you wish to arrange an interview, please contact me at the above e-mail address.
Sincerely yours,
Steven Wu

ビジネスメールの内容は，求人応募や仕事の依頼，問い合わせが多い。まず，話題が何かを把握しよう。

(1) Why did Steven Wu contact Ms. Bouchard?

1. He wanted to report that he got a position as a librarian.
2. He wanted to apologize for forgetting to attach his résumé.
3. He wanted to thank her for hiring capable employees.
4. He wanted to apply for a job as a librarian.

(2) According to his profile, Steven Wu

1. does not have a degree in library science.
2. has experience in managing others.
3. has worked with Emily Tremblay in a public library.
4. uploaded library materials onto the Internet.

(3) What is one thing we learn about Steven Wu?

1. He wants to continue his career in the place he is going to live.
2. He will have difficulty adapting himself to the new environment.
3. He does not have the ability to organize things.
4. He lacks communication skills.

解答と解説

(1) **質問訳** **なぜスティーブン・ウーはブシャールさんに連絡を取ったのですか。**　正解 **4**

選択肢訳 **1. 司書の職につけたことを報告したかった。**
2. 履歴書を添付し忘れたことを謝罪したかった。
3. 有能な職員を雇っていることに対して彼女にお礼を言いたかった。
4. 司書の職に応募したかった。

解説 まず，件名から用件を把握する。件名には application for a full-time librarian position「常勤司書の職への応募」とある。また，第１段落第３文にも，I am very interested in the position とあるので，これは求人応募のメールだと分かる。正解は選択肢 **4**。

(2) **質問訳** **スティーブン・ウーの経歴によれば，彼は……**　正解 **2**

選択肢訳 **1. 図書館学の学位を持っていない。**
2. 管理業務の経験がある。
3. 公共の図書館でエミリー・トランブレと働いたことがある。
4. 図書館資料をインターネットにアップロードした。

解説 経歴について述べているのは第２段落。第２段落第３文でウーは user services and administrative services「利用者サービスと管理業務」に携わってきたと述べている。また，管理業務の一つとして第２段落最終文で training and supervising the staff「職員の研修および監督」を挙げている。これを managing others と言い換えた選択肢 **2** が正解。

(3) **質問訳** **スティーブン・ウーについて分かることの一つは何ですか。**

選択肢訳 **1. 彼は住む予定の場所でキャリアを継続させたがっている。**
2. 彼は新しい環境に慣れるのに苦労するだろう。
3. 彼には物事をまとめる能力がない。
4. 彼にはコミュニケーション能力が欠けている。

解説 第３段落第５文の Next week, I will be moving to your area. という文から，ウーが図書館のある地域に引っ越しをすることが分かる。その地域で司書の職を得たいと考えているということは，これから住む場所でもキャリアを継続させたがっているということなので，正解は選択肢 **1**。

訳

差出人：スティーブン・ウー〈s-wu@beemail.com〉
宛先：エマ・ブシャール〈ebouchard@qubeclibrary.org.ca〉
日付：２月４日
件名：常勤司書の職への応募
添付：履歴書

拝啓　ブシャール様
私はスティーブン・ウーと申します。貴館の職員であるエミリー・トランブレは私の友人で，最近彼女からあなたが常勤の司書をお探しであるということを聞き，あなたに連絡を取るように勧められました。この職に大変興味がありますので，私の応募をご検討いただくため履歴書を添付いたしました。
私は図書館学の修士号を取得しております。また，公共の図書館で司書として８年間働いてきた経験があります。過去８年間にわたり，図書館で２つの主な分野である利用者サービスと管理業務に携わってきました。利用者サービスの中で，探している資料を手に入れるための効果的な方法として，利用者にコンピュータースキルやインターネットでの検索技術を教えてきました。さらに，図書館資料の分類および目録の作成，職員の研修および監督などを含む図書館の日常業務の監督を補佐していました。
私は物を整理整頓するのが好きで，利用者や職員と円滑にコミュニケーションを行う対人能力があります。私の知識と職場での経験は貴館の要求にお応えすることができると考えております。私はフランス語およびスペイン語に堪能で，それらの言語で書かれた文学にも大変興味があります。私は貴館に対して大きく貢献できると思っております。来週，貴館のある地域に引っ越しをします。ご都合のよいときに，この職について話合いの機会が持てましたら幸いです。もし面接のご希望があれば，上記Ｅメールアドレスにご連絡ください。
敬具
スティーブン・ウー

テーマ

2 Eメール文②
依頼・問い合わせ

学習日
目標時間
1問
3分
得点
3
合格点2点

次の英文の内容に関して，(1)から(3)までの質問に対して最も適切なもの，または文を完成させるのに最も適切なものを 1，2，3，4 の中から一つ選びなさい。

From: Isabella Jones 〈jonesitalianrestaurant@oxmail.com〉
To: Andy Scotto 〈info@andyfurniture.org〉
Date: April 16
Subject: request for catalog and estimate

Dear Mr. Scotto,
I am writing to inquire about your products. I am an Italian restaurant owner in California, planning to renovate* our dining room. For the past six months, I have been looking for furniture suitable for the interior design of my restaurant. I think the Italian furniture that your company specializes in would fit in with the image of my restaurant because you provide an extensive range of restaurant furniture that is not only stylish and modern but also practical and useful. I am interested in the following items. I would like to ask for your catalog to obtain more information.
-10 wooden dining tables for four people
-40 steel dining chairs with unique designs
-10 ceiling shades with simplified lines
My restaurant offers authentic Italian cuisine* in a modern style using the freshest local seasonal ingredients and high-quality products imported from Italy including cheese, prosciutto* and wine. It is located in an area known as a resort destination for the wealthy and most of the customers come to us to enjoy eating in a more sophisticated atmosphere. The wooden walls will be replaced with floor-to-ceiling glass windows through which customers can enjoy the ocean view to their hearts' content.
The renovation is scheduled to be finished by the end of the year, and I have to decide which furniture to purchase as soon as possible. Please send me your latest catalog and an estimate by the end of this month.
Sincerely,
Isabella Jones

*renovate：改装する　*cuisine：料理　*prosciutto：生ハム

本文を読む前に，基本情報をヘッダー部分からつかむ。

依頼メールでは，詳細が自己紹介のあとに書かれていることが多い。

(1) What is one thing Isabella Jones wants Mr. Scotto to do?

1. Come to her restaurant to talk about the renovation.
2. Help her move the furniture in the dining room.
3. Provide some information on the furniture she needs.
4. Increase the items his furniture store handles.

(2) What is one thing you learn about Isabella's restaurant?

1. The restaurant serves classical Italian cuisine in a family atmosphere.
2. Fresh organic ingredients are used in the restaurant.
3. Customers can enjoy ocean views through a hole in the wooden walls.
4. The restaurant is located in an area where rich people gather.

(3) Which of the following statements is true?

1. Isabella wants Mr. Scotto to calculate the likely price that will be charged for the furniture she needs.
2. Mr. Scotto will send his latest catalog and a bill to Isabella.
3. Isabella needs to get new furniture for her restaurant by the end of this month.
4. Isabella has not decided when to finish the renovation yet.

解答と解説

(1) 質問訳 **イザベラ・ジョーンズがスコットさんにしてもらいたいことの一つは何ですか。**

正解 **3**

選択肢訳
1. 改装について話し合うため彼女のレストランに来る。
2. 彼女がダイニングルームの家具を移動させるのを手伝う。
3. 彼女が必要としている家具に関する情報を提供する。
4. 彼の家具店が扱う商品を増やす。

解説 第１段落にイザベラがメールを送った経緯と，用件が書かれている。第１文の inquire about your products から，スコットさんが提供する製品に関する問い合わせだと分かる。また，第４文から，スコットさんの会社はレストラン向け家具の会社であることが読み取れるので，イザベラは家具の情報を知りたがっていると考えられる。第６文 I would like to ask for your catalog to obtain more information. とあることからも，正解は選択肢 **3**。

(2) 質問訳 **イザベラのレストランについて分かることの一つは何ですか。**

選択肢訳
1. 家庭的な雰囲気で，伝統的なイタリア料理を提供している。
2. そのレストランでは新鮮な有機食材が使われている。
3. 客は木壁の穴から海の眺めを楽しむことができる。
4. そのレストランは裕福な人々が集まる地域にある。

解説 イザベラのレストランについては第２段落にある。第２文 located in an area known as a resort destination for the wealthy「富裕層が集まるリゾート地として有名な地域にあり」の the wealthy「富裕層」を rich people「裕福な人々」と言い換えた選択肢 **4** が正解。

(3) 質問訳 **次の記述のうち，正しいものはどれですか。**

選択肢訳
1. イザベラはスコットさんに，彼女の必要な家具に請求される推定金額を計算してもらいたい。
2. スコットさんはイザベラに最新のカタログと請求書を郵送する。
3. イザベラは今月末までに彼女のレストラン用に新しい家具を手に入れる必要がある。
4. イザベラはいつ改装を終わらせるかまだ決めていない。

解説 第３段落第２文に Please send me your latest catalog and an estimate「最新のカタログと見積書をお送りください」とある。「見積書を送る」ということは「推定金額を計算する」ということなので，選択肢 **1** が正解。

訳

差出人：イザベラ・ジョーンズ〈jonesitalianrestaurant@oxmail.com〉
宛先：アンディ・スコット〈info@andyfurniture.org〉
日付：4月16日
件名：カタログおよび見積もりの請求

拝啓　スコット様
貴社の製品についてお伺いしたいことがございます。私はカリフォルニアでイタリア料理のレストランを経営しており，ダイニングルームを改装する予定でおります。この半年，私の経営するレストランの内装デザインに合う家具を探してきました。御社が専門に扱っているイタリア製の家具は当レストランのイメージによく合うのではないかと思っています。というのも，貴社はスタイリッシュかつ現代的であるだけでなく，実用的かつ便利でもあるレストラン向けの家具を広範囲にわたって提供されているからです。私は以下の製品に興味があります。つきましては，詳しく知りたいので，貴社のカタログをご請求申し上げます。
・4人用の木製ダイニングテーブル10台
・ユニークなデザインのスチール製ダイニングチェア40脚
・シンプルなラインの天井照明器具10点
当レストランでは本格的なイタリア料理を現代流にアレンジして提供しており，地元でとれる新鮮な季節の食材とチーズ，生ハム，ワインなどのイタリアから輸入した高品質の食材を使っています。また，当レストランは富裕層が集まるリゾート地として有名な地域にあり，お客様の大半は洗練された雰囲気の中で食事を楽しまれるためにやって来ます。木製の壁を床から天井までのガラス窓に取り替え，その窓からお客様に心ゆくまで海の眺めを楽しんでいただくつもりです。
改装は年内までに終わらせる予定ですので，できるだけ早く購入すべき家具を決定する必要があります。つきましては，今月末までに最新のカタログと見積書をお送りください。
敬具
イザベラ・ジョーンズ

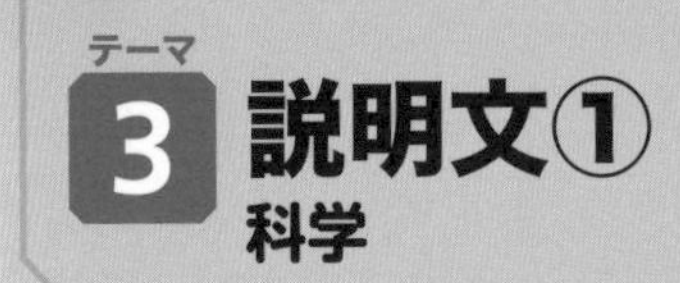

テーマ

3 説明文①
科学

学習日
目標時間
1問
3 分
得点
/5
合格点3点

次の英文の内容に関して，(1)から(5)までの質問に対して最も適切なもの，または文を完成させるのに最も適切なものを 1，2，3，4 の中から一つ選びなさい。

Influences of Psychology on Eating Habits

Vegetables are essential for good health, but in general it is difficult to eat enough vegetables every day. So, are there any good ways to get people to eat more vegetables? Two experiments conducted by Professor Wansink at Cornell University will answer this question. He asked a high school student to give some vegetables funny names to make eating vegetables sound exciting. Then he carried out an experiment at seven New York elementary schools to observe the eating habits of about 1,000 students.

The results were very interesting. For instance, in one school 66% of the funny-named vegetables — "Power Punch Broccoli" and "Silly Dilly Green Beans" — were eaten up, while only 32% of the boring-named vegetables such as "Food of the Day," were eaten by the students. These results show that using funny and attractive names helps food look delicious or sound special, which leads to an increase in the consumption of even the less-preferred foods such as vegetables.

The second experiment was done at a theater. One hundred fifty-eight people between the ages of 18 to 66 (an average age of 28.7) were involved in the study, in which they were divided into four groups: each individual in Group 1 was given a medium container of fresh popcorn, each in Group 2 was given a medium container of stale* popcorn (14 days old), in Group 3 a large container of fresh popcorn, in Group 4 a large container of stale popcorn.

After they watched a movie while eating their popcorn, the popcorn containers were collected to investigate how much they had eaten. Professor Wansink found that the people who had been given fresh popcorn in large-sized containers ate 45.3% more than those given fresh popcorn in medium-sized containers. Interestingly enough, almost everyone who had been given the stale 14 days old popcorn described the popcorn as "terrible," but the people who had been given large containers ate 33.6% more than those given the medium containers. From these findings, we can conclude that larger containers increase food consumption regardless of its taste. This means that larger containers may help even those who do not like vegetables eat more.

---

*stale：古くなった，しけった

科学がテーマの長文は，実験についての説明が多い。実験の目的・結果や，それらが示す意味を理解しながら読もう。

(1) What was the purpose of using funny names for vegetables?

1. To improve their taste and lead people to eat more vegetables.
2. To help people keep their bodies in good health.
3. To make vegetables sound more appealing.
4. To lead people to change their irregular eating habits.

(2) What consequence did the funny-named vegetables bring about?

1. Nearly 70% of the students showed interest in vegetables.
2. They encouraged vegetable consumption.
3. Vegetable purchases went up by 66%.
4. They led to less consumption than the boring-named vegetables.

(3) Which of the following statements is true?

1. Four kinds of packages and two kinds of popcorn were used in the second experiment.
2. All the participants in the second experiment bought a large box of popcorn.
3. The popcorn for the experiment was divided among four people.
4. In the second experiment, old and no longer fresh popcorn was also used.

(4) The second experiment

1. was took part in mostly by the people over 60 years old.
2. was done while the participators were eating.
3. was divided into four groups according to their ages.
4. was conducted to prove that the result of the first experiment was true.

(5) What did the second experiment show?

1. Larger packages increased consumption of both the fresh and stale popcorn.
2. Those who were given the stale popcorn did not really mind its taste.
3. Container size did not influence the consumption of the stale popcorn.
4. Fresh popcorn is essential for watching a movie in a theater.

解答と解説

(1) 質問訳 **野菜におもしろい名前を用いた目的は何でしたか。** 正解 **3**

選択肢訳 1. 野菜の味をよくし, 人々に野菜をもっと食べてもらうため。
2. 人々が健康を維持するのを助けるため。
3. 野菜はもっと魅力的なものであると思わせるため。
4. 人々が不規則な食生活を変えるのを助けるため。

解説 野菜におもしろい名前をつけた目的は, 第1段落第4文後半で述べられている。to make eating vegetables sound exciting「野菜を食べることがワクワクするように思わせるため」を言い換えた選択肢 **3** が正解。

(2) 質問訳 **おもしろい名前がつけられた野菜はどんな結果をもたらしましたか。**

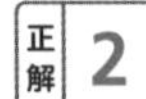

選択肢訳 1. 生徒の 70 パーセント近くが野菜に対して興味を示した。
2. それらは野菜の消費を促した。
3. 野菜の購入が 66 パーセント増えた。
4. それらはつまらない名前がつけられた野菜よりも消費されなかった。

解説 第2段落最終文 These results show that ... に, 実験の結果がまとめられている。その内容を要約した選択肢 **2** が正解。

(3) 質問訳 **次の記述のうち, 正しいものはどれですか。** 正解 **4**

選択肢訳 1. ４種類の容器と２種類のポップコーンが２つ目の実験で使用された。
2. ２つ目の実験の参加者は全員, 大きいサイズのポップコーンを購入した。
3. 実験用のポップコーンは４人で分けられた。
4. ２つ目の実験では, 古くてもはや作りたてではないポップコーンも使われた。

解説 第3段落第2文から, 実験で使われたポップコーンは作りたてのものと, しけったものであることが分かる。したがって, 選択肢 **4** が正解。

(4) 質問訳 **２番目の実験は,**

選択肢訳 1. 大部分が 60 歳を超える人々の参加だった。
2. 参加者が食べている間に行われた。
3. 年齢によって４つのグループに分けられた。
4. 最初の実験の結果が正しいことを証明するために行われた。

解説 第4段落第1文から, (ポップコーンを)食べている間に実験が行われていたことが分かる。したがって選択肢 **2** が正解。

(5) 質問訳 **２つ目の実験から何が分かりましたか。**

選択肢訳 1. 容器が大きくなると, 作りたてのポップコーンもしけったポップコーンも消費量が増えた。

2. **しけったポップコーンを与えられた人たちは，その味をあまり気にしなかった。**
3. **容器の大きさは、しけったポップコーンの消費量に影響を与えなかった。**
4. **作りたてのポップコーンは，映画館で映画を見るのになくてはならないものだ。**

解説 第４段落第２～３文から，作りたてのポップコーンを食べた人もしけったポップコーンを食べた人も，大きい容器でもらった人のほうが多く消費していることが分かる。したがって，選択肢 **1** が正解。

心理が食習慣に与える影響

野菜は健康であるために不可欠なものであるが，一般的に毎日十分な野菜を食べることは難しい。では，人々に野菜をもっと食べてもらうために何かよい方法はないだろうか。コーネル大学のワンシンク教授によって行われた２つの実験がこの問いに答えてくれるだろう。彼はある高校生に，野菜を食べることがワクワクするように思わせるため，野菜におもしろい名前をつけてほしいと依頼した。そして彼は，ニューヨークの７つの小学校で実験を行い，約 1,000 人の小学生の食習慣を調べた。

その結果は非常に興味深いものであった。例えば，ある学校では，Power Punch Broccoli（パワーパンチブロッコリー）や Silly Dilly Green Beans（シリーディリーグリーンビーンズ）のようなおもしろい名前がつけられた野菜はその 66% が食べられ，“Food of the Day（本日のお薦めの食べ物）”のようなつまらない名前がつけられた野菜はたった 32 パーセントしか生徒たちによって食べられなかった。これらの結果から，おもしろくて魅力的な名前を用いることで，食べ物がおいしそうに見えたり特別な感じに聞こえたりする結果，野菜のような好まれない食べ物でさえ消費が増えるということが分かる。

２つ目の実験は映画館で行われた。18 歳から 66 歳（平均年齢 28.7 歳）の 158 人がその研究に関わり，以下の４グループに分けられた。グループ１では M サイズの容器に入った作りたてのポップコーン，グループ２では M サイズの容器に入った，しけった（14 日たった）ポップコーン，グループ３では L サイズの容器に入った作りたてのポップコーン，グループ４では L サイズの容器に入ったしけったポップコーンが一人ひとりに配られた。

ポップコーンを食べながら映画を見たあと，彼らがどれくらいポップコーンを食べたかを調べるために容器が回収された。ワンシンク教授の発見によれば，L サイズの容器に入った作りたてのポップコーンを与えられた人たちは，M サイズの容器に入った作りたてのポップコーンを与えられた人たちよりも 45.3 パーセント多く食べた。興味深いことに，作られてから 14 日たったしけったポップコーンを与えられたほとんどすべての人がそのポップコーンを「ひどい味」と説明したのだが，L サイズを与えられた人たちは M サイズを与えられた人たちよりも 33.6 パーセント多く食べたのである。これらの結果から，容器が大きくなると味のよしあしにかかわらず，食べ物の消費が増えると結論づけることができる。これはつまり，容器を大きくすれば，野菜嫌いな人でも、もっと野菜を食べられるかもしれないということを意味している。

次の英文の内容に関して，(1)から(5)までの質問に対して最も適切なもの，または文を完成させるのに最も適切なものを 1，2，3，4 の中から一つ選びなさい。

Social Rehabilitation or Severe Punishment?

Halden Prison in Halden, Norway has acquired a reputation as the most humane* prison in the world. What surprises visitors most is the modern and sophisticated design of its interior and exterior. It looks like a hotel rather than a prison. In fact, Halden Prison has received an award for best interior design. Its interior is decorated with 18 different colors such as vivid orange, bright red, earthy brown and a calming shade of green, which has successfully got rid of the negative image of a prison. In addition, lots of trees planted on the 75-acre site have made a 6-meter-high security wall surrounding the prison less noticeable.

The other surprising thing is how quiet the prison is. For instance, the prison has a capacity of 252 male prisoners, but there are few attacks on guards by the prisoners or fights between the prisoners. That's partly because there are 340 staff members actively communicating with the prisoners and supporting them. The fact that women account for half of all guards also helps ease tension in the prison. Around 3 p.m. in the afternoon you will see guards and prisoners seated around a table with a checkered tablecloth, enjoying heart-shaped waffles and freshly brewed coffee.

Another remarkable thing is that the variety of activities Halden Prison offers has greatly helped the prisoners release the stress from all-day imprisonment. They can get involved in a wide range of activities from sports such as rock climbing and soccer to artistic activities including music and drawing. Also, they are allowed to cook what they like with ingredients they can buy with their daily wage of 53 kroner ($9). Some prisoners cook sushi or Indian curry.

What is the reason Halden Prison cares for the prisoners in such a humane way? It is related to the Norwegian criminal law. Norway has no death penalty or life imprisonment. Its maximum penalty is 21 years' imprisonment. This means that almost all the prisoners will return to society. Halden Prison has focused much more on preparing the prisoners to return to society than on severe punishment.

---

*humane：人道的な

Point!

社会問題の長文では，テーマに対する筆者の立場（肯定的・否定的）を把握しよう。文の流れが予測しやすくなり，読解速度が上がる。

(1) Halden Prison

1. has acquired a reputation as the most beautiful prison in the world.
2. has received an award for exterior design.
3. has the interior which is decorated with more than 15 colors.
4. looks like a museum rather than a prison.

(2) The environment surrounded by greenery is useful in

1. bringing a positive atmosphere to the prisoners.
2. hiding the security wall of the prison.
3. providing a feeling of relaxation.
4. making the wall of the prison stand out.

(3) What is one reason fighting is rarely seen in the prison?

1. A great deal of attention is given to the prisoners by the staff.
2. Delicious sweets and coffee are served to the staff.
3. The prison is promoting interaction between the prisoners.
4. Most of the female staff is willing to listen to the prisoners.

(4) What is one advantage of doing a variety of activities in the prison?

1. The prisoners can improve their sports skills through the activities.
2. The prisoners can deepen the understanding of other cultures.
3. The prisoners can learn the importance of working together.
4. The prisoners are less likely to be under a lot of stress.

(5) Which of the following statements is true?

1. Halden Prison thinks that treating the prisoners hard will make them better people.
2. The Norwegian criminal law should have more strict and severe punishment.
3. Halden Prison puts an emphasis on prisoner rehabilitation.
4. Halden Prison has been criticized by other countries for its humane ways.

解答と解説

(1) 質問訳 **ハルデン刑務所は,** 正解 **3**

選択肢訳 **1.** 世界で最も美しい刑務所として名声を得ている。
2. 外装のデザインで賞を受賞している。
3. 15色以上で飾られた内装を備えている。
4. 刑務所というよりは博物館のようである。

解説 第1段落第5文から，内装が18色のさまざまな色で飾られていることが分かる。したがって選択肢**3**が正解。

(2) 質問訳 **緑に囲まれた環境は……という点で役に立つ。** 正解 **2**

選択肢訳 **1.** 受刑者に明るい雰囲気をもたらす
2. 刑務所の壁を隠す
3. くつろいだ気分を与える
4. 刑務所の壁を目立たせる

解説 第1段落最終文の lots of trees ... have made a 6-meter-high security wall surrounding the prison less noticeable を言い換えた選択肢**2**が正解。選択肢**1**, **3**は本文中で触れられていないので不適切。

(3) 質問訳 **刑務所内で争いがめったに見られない理由の一つは何ですか。**

選択肢訳 **1.** 職員が受刑者に対して多大な注意を払っている。
2. おいしい菓子とコーヒーが職員に出される。
3. 刑務所が受刑者間の交流を促進している。
4. 女性職員の大半は積極的に受刑者の話に耳を傾けている。

解説 争いが見られない理由の一つは，第2段落第3文で述べられている。That's partly because there are 340 staff members actively communicating with the prisoners and supporting them. を言い換えた選択肢**1**が正解。

(4) 質問訳 **刑務所内でさまざまな活動を行う利点の一つは何ですか。**

選択肢訳 **1.** 受刑者は活動を通してスポーツの技術を高められる。
2. 受刑者は異文化について理解を深めることができる。
3. 受刑者は協力し合うことの大切さを学べる。
4. 受刑者はストレスがたまりにくい。

解説 刑務所内の活動の利点は第3段落第1文で述べられている。the variety of activities ... helped the prisoners release the stress を言い換えた選択肢**4**が正解。

(5) 質問訳 **次の記述のうち，正しいものはどれですか。** 正解 **3**

選択肢訳 **1.** ハルデン刑務所は厳しく受刑者を扱うことで彼らがよりよ

い人間になると考えている。
2. ノルウェーの刑法はもっと厳しい刑罰を与えるべきだ。
3. ハルデン刑務所は受刑者の社会復帰を重視している。
4. ハルデン刑務所はその人道的なやり方のことで他国から批判を受けている。

 第４段落最終文に,「厳しく罰することよりも受刑者に社会復帰の準備をさせることに重きを置いている」とある。正解は選択肢 **3**。選択肢 **1** はハルデン刑務所が受刑者を人道的に扱う，という本文の内容に合わない。選択肢 **2**, **4** は本文中で触れられていないので不適切。

訳

更生か厳しい処罰か？

ノルウェーのハルデンにあるハルデン刑務所は世界で最も人道的な刑務所として評判を得ている。訪問者を最も驚かせるのは，その内装と外装の現代的で洗練されたデザインである。ハルデン刑務所は刑務所というよりむしろホテルのように見える。実際，ハルデン刑務所はベストインテリアデザイン賞の受賞経験がある。刑務所の内装は鮮明なオレンジ色，明るい赤色，土色がかった茶色，落ち着いた緑色などの 18 色のさまざまな色で飾られており，それは刑務所の暗いイメージを払拭するのに成功している。さらに，75 エーカーの敷地に植えられた多くの木が，刑務所を囲む高さ６メートルの壁を目立たなくしている。

その他の驚くべきことは，刑務所が非常に静かであることだ。例えばハルデン刑務所は 252 人の男性受刑者を収容する能力があるが，受刑者が刑務官を襲ったり受刑者同士が争ったりすることはほとんどない。その理由の一つは，340 人の職員が積極的に受刑者とコミュニケーションを図り，彼らをサポートしていることである。全刑務官の半数が女性であるという事実も刑務所内の緊張を緩和するのに役立っている。午後３時ごろになると，刑務官と受刑者たちがチェック柄のテーブルクロスのかかったテーブルを囲んで座り，ハート形のワッフルといれたてのコーヒーを楽しんでいる。

もう一つ注目に値するのは，ハルデン刑務所が提供しているさまざまな活動によって，受刑者たちは終日刑務所に監禁されていることから生じるストレスを大いに発散できるということである。彼らはロッククライミングやサッカーのようなスポーツから音楽や絵画などの芸術活動に至るまで，広範囲にわたる活動に参加することができる。さらに，彼らは刑務所内の労働によって得た 53 クローネ（９ドル）の日当で買うことのできる材料を使って好きなものを料理することが許されている。寿司やインドカレーを作る者もいる。

ハルデン刑務所がそのような人道的な仕方で受刑者に対して世話を焼くのはなぜだろうか。それはノルウェーの刑法と関係がある。ノルウェーには死刑も終身刑もなく，最高刑は 21 年の懲役刑である。これはつまり，ほとんどすべての受刑者が社会復帰するということである。ハルデン刑務所は厳しく罰することよりも受刑者に社会復帰の準備をさせることに重きを置いているのである。

攻略テクニック！

Part 4 ライティング・英文要約

POINT

※試験内容などは変わる場合があります

形　式	英文を読んでその内容を英語で要約する。英文の語数の目安は45語〜55語
問題数	1問
目標時間	10〜15分程度
傾　向	近年話題や問題になっているテーマを扱った論理的な英文が提示される
評　価	解答は4つの観点（内容，構成，語彙，文法）で採点される。観点ごとに0〜4点の5段階で評価される
対　策	論理的な英文に数多く触れ，テーマと主旨を読み取る力と，パラフレーズしながらバランスよく要約していく力を身につけよう

テクニック❶ 文章のテーマと全体のメッセージをつかむ!

課題である「要約」をするためには，まず文章の主旨をつかむことが必要です。各パラグラフで**要約のポイントになりそうな部分にマークをつけながら読み進めましょう**。また，英文の流れを示すディスコースマーカーにも注目しましょう。ディスコースマーカーはその役割の違いによって「逆接」(but, however, yet など),「対比」(while, on the contrary など),「追加」(also, besides, in addition など),「結果」(therefore, as a result など)などがあります。

テクニック❷ 原文の構成は変えない!

要約する際は，文章全体の内容をバランスよく盛り込むことが大切です。一部を切り取って要約するのではなく，それぞれのパラグラフを1文程度に要約して，それをスムーズにつなげていきます。最後に読み返してみて，省略や言い換えによって**原文の要点が失われていないかを必ず確認しましょう**。

テクニック❸ パラフレーズする（言い換える）力をみがく!

原文より短い語数で要約文をまとめるには，主旨を変えずに与えられた英文の要旨を簡潔に言い換える必要があります。そして，原文にはない総称的な表現などへ置き換えるための発想力には語彙の習得が必須です。日頃から与えられた英文で述べられている**具体的な主張や意見を，抽象的な表現へとまとめる練習をしておきましょう。**

<パラフレーズの基本>

・同義表現，類義表現を使う
・具体的な表現を一般化した表現にする
・文の構造を変える（否定文を肯定文に変換，受動態を能動態に変換など）

<総称での言い換え例>

・elephants, wolves and sheep → animals
・car, bike and bicycle → vehicle
・doctor and nurse → healthcare workers ／ medical workers
・physics, geology and chemistry → science

テクニック❹ 論理的な英文に多く触れる!

パラグラフ構成がしっかりしている論理的な英文に多く触れ，それらの主旨を読み解く力を身につけましょう。そのためには**パラグラフのトピックを頭の中でまとめながら，文章全体を読解していく**習慣を身につけましょう。そのうえで，英文をパラフレーズしながら要約していく練習を積むとよいでしょう。

p.74 － 75 にある POINT やテクニックをふまえて，次の例題に取りくんでみましょう。

- 以下の英文を読んで，その内容を英語で要約し，解答欄に記入しなさい。
- 語数の目安は 45 語 ～ 55 語です。
- 解答欄の外に書かれたものは採点されません。
- 解答が英文の要約になっていないと判断された場合は，0 点と採点されることがあります。英文をよく読んでから答えてください。

To get to work every day, many office workers wear jackets and ties and take morning trains that are probably very crowded. However, things are changing for them. Today, more and more of them are starting to work from home instead of going to the office.

Is working from home a good idea? When people work full-time in the office, they often end their day without doing anything but their work. By working from home, these people can have meals with their families more often. Others can enjoy spending more time learning foreign languages or playing their favorite sports.

On the other hand, some people have small children at home. These people sometimes need to see their children while they work. As a result, they may not be able to finish their work on time. Also, some people may check social media too much on their smartphones when they should be working.

例題文の構成

第１パラグラフ：働き方の変化について

第２パラグラフ：在宅勤務の「プラス面」の例示

第３パラグラフ：在宅勤務の「マイナス面」の例示

解答例

訳

毎日仕事を始めるために，多くの会社員はジャケットを着てネクタイを締め，おそらくとても混雑した朝の電車に乗る。しかし，状況は変わりつつある。今日では，オフィスに通う代わりに自宅で仕事を始める人が増えているのだ。

在宅勤務は良いアイデアなのだろうか？　オフィスで終日働くとき，仕事だけをして１日が終わってしまうことが多い。自宅で仕事をすることで，家族と一緒に食事をする機会も増える。また，より多くの時間を，外国語の学習や好きなスポーツに費やして楽しめる人もいる。

一方，家に小さな子どもがいる人もいる。このような人たちは，ときどき，仕事をしながら子どもの世話をする必要がある。その結果，時間内に仕事を終えることができないかもしれない。また，仕事をすべきときに，スマートフォンで過剰にSNSをチェックする人もいるかもしれない。

解答例

Nowadays, more office workers are working from home. By working from home, people can improve their work-life balance by spending more time with their families, studying, or enjoying their hobbies. However, some may have trouble concentrating on their work at home because of their children or by checking social media.（50 語）

解答例訳

最近，より多くの会社員が在宅勤務をしている。自宅で仕事をすることで，家族との時間を増やしたり，勉強をしたり，趣味を楽しんだりして，ワークライフバランスを向上させられる。しかし，子どもや SNS のチェックによって，家では仕事に集中するのが困難だという人もいるかもしれない。

解説

１文目：第１パラグラフで述べられている内容をパラフレーズ
２文目：１文目を受けて，第２パラグラフで述べられている３つのプラス面をまとめている
３文目：２文目を受けて，逆接の表現でつなぎ，マイナス面をまとめている

ワンポイントアドバイス

「逆接」を表すディスコースマーカーの However

前文の内容と対照的な情報を結びつけている。
２つの情報や考え等が対立する場合などに使うと効果的。

攻略テクニック！

Part 4 ライティング・英作文

POINT

※試験内容などは変わる場合があります

形式	与えられたTOPICに対する自分の意見を述べる。そしてその意見を論証するための理由を2つ，POINTSにある単語を参考にしながら，80語～100語の英文で書く
問題数	1問
目標時間	15～20分
傾向	近年，話題や問題になっていることがTOPICとして出題される。その考えが正しいか否かにはこだわらず，自分なりの見解を書けばよい
対策	語彙力や文法力に加え，文章が適切な流れや語数になっているかにも注意しよう

テクニック❶ まず日本語で流れを下書きしよう！

下書きといっても，一字一句書いていく必要はまったくありません。

例えば「将来，より多くの外国人が日本に旅行に来ると思うか？」という質問があった場合，「そのとおり⇒（理由１）日本の料理や文化を好む外国人が多いから⇒（理由２）日本で売られている商品の質が良いから⇒まとめ」といった程度に，**流れを日本語で書いたうえで英文を作り始める**とスムーズです。

テクニック❷ 英文の構成を考える！

英作文の構成は次のようにとらえるとまとめやすい。

序論：自分の意見（主張）を述べる。

本論：理由を２つ挙げる。さらに，そう思う根拠をそれぞれの理由に１つずつ，あるいは一方に２つ程度入れる。

結論：最初に述べた意見を繰り返してまとめる。冒頭と同じ内容になるが，単語や表現は一部変えて文章に変化をつけるとよい。

語数は80語から100語と決められています。各々の理由に「その根拠」をつけていけば，語数はおおむね合うはずです。

また，In my view,「私の意見ですが，」から回答を始めたり，2つの理由を述べる前にThe reasons are as follows.「理由は以下のとおりです。」と入れたり，それぞれの理由を述べる前にFirst, やSecond, を入れたり，さらに最後のまとめの部分をFor these reasons,「こういった理由により，」で始めたりと，**パターン化する**ことをお勧めします。

テクニック❸ 最初の理由とその根拠を書いたら一度，語数を数える！

1つ目の理由・根拠を書き終わった時点で一度，単語数を数えましょう。その時点で60語程度になっていれば，2つ目の理由と最後のまとめで80語を超えるはずです。

もし，1つ目の理由・根拠までで40語ぐらいしかなかったら，2つ目の理由に，その根拠として1，2文加える必要があるかもしれません。

また**80語～100語**は必須の条件なので，それより少なかったりオーバーしたりしてしまっては，内容がいかに素晴らしくても減点されてしまいます。記入が終わって単語数が1語足りないなどという場合は，例えばmuch cashという言葉をa lot of cashに変えて2語増やす，といったテクニックと使うとよいでしょう。

テクニック❹ 適切な語彙をきちんと使う！

スペルミスをなくすことは当然です。そのためには，例えばEuropeanと書きたいのだがスペルがおぼつかないときにWesternで**代用する**，ということも必要です。

また，「技術のような(といった)重要なこと」と述べたいときに，an important thing such as skillsと，such as (～のような)をきちんと使うことも大切です。誤ってlike (～と同様……語感は似ているが間違い)を使用すると，やはり減点の対象になります。

テーマ 1 社会に関すること

学習日	目標時間 1問 10分	得点 /1

- 以下の英文を読んで，その内容を英語で要約し，解答欄に記入しなさい。
- 語数の目安は 45 語 ～ 55 語です。
- 解答欄の外に書かれたものは採点されません。
- 解答が英文の要約になっていないと判断された場合は，0 点と採点されることがあります。英文をよく読んでから答えてください。

When it comes to careers, some young people start their own companies when they graduate from their universities. But most young people work for existing businesses to avoid instability. These days, however, more and more young people are becoming entrepreneurs. How come has this happened recently?

Some youngsters would want to be their own boss and make their own decisions. Others could believe that starting a company can bring new and exciting opportunities. Thanks to these reasons, many young people are choosing to start their own businesses today.

On the other hand, some worry about the risks of starting a new business. It should be challenging when the company does not succeed. And the youngsters might take on huge debts. Some also think it could be hard to manage everything by themselves. As a result, although starting a company has some benefits, it also has challenges to consider in advance.

解答例

訳

職歴に関して言うと，若者たちの中には大学を卒業して，自身で会社を立ち上げる人もいる。しかしながら大多数の若者は，不安定さを避けて現存する職業で仕事をする。しかしながら最近では，ますます多くの若者たちが起業家になっている。最近なぜこういったことが起きているのだろうか？

若者たちの中には，自分が代表者になり自分で決定をしたいという人もいるのだ。他にも，起業することは新しくそしてワクワクするような機会を与えてくれると信じる人もいるのだろう。こういった理由により，今日では多くの若者たちが自分で事業を立ち上げることを選ぶのだ。

一方で，新しく仕事を始めることのリスクを心配する人もいる。会社がうまくいかないときは困難さを感じるだろう。またその若者は莫大な借金を抱えるかもしれない。さらに自身であらゆることを管理するのは困難だと考える人もいるだろう。結果としては，起業することにいくつかの利点もあるが，事前にしっかりと考えなければならない困難さもあるのだ。

解答例

Previously, most youth chose to work for existing businesses. Recently, however, more and more youngsters are becoming entrepreneurs. They want to be their own boss because they can make their own decisions and find new opportunities. But some worry about risks, such as the company not succeeding and the difficulty of managing everything alone. （54 語）

解答例訳

かつては，大多数の若者は既にある仕事につくことを選んでいた。しかしながら最近では，ますます多くの若者が起業家になっている。彼らは自分で決定をしたり新しい機会を見つけたりしたいので，自分が代表になりたいのだ。しかし，会社がうまくいかないことやあらゆることを自分で管理することの困難さ，といったようなリスクを心配する人も少なからずいる。

解説

テーマ：若者の職歴の変化
プラス面：意思決定，ワクワクする機会
マイナス面：起業のリスク

補足

avoid instability　不安定さを避ける
entrepreneur　起業家
be one's own boss　（自営業で）自分で取り仕切る
in advance　事前に，前もって

テーマ

2 文化に関すること

- 以下の英文を読んで，その内容を英語で要約し，解答欄に記入しなさい。
- 語数の目安は 45 語 ～ 55 語です。
- 解答欄の外に書かれたものは採点されません。
- 解答が英文の要約になっていないと判断された場合は，0 点と採点されることがあります。英文をよく読んでから答えてください。

There are many different kinds of books. Some books give factual information about various topics such as science or history. Other books tell interesting stories that are fun to read to make people happy. Traditionally, people have read books printed on paper. Nowadays, however, more and more people read electronic books.

There are several reasons people prefer e-books. Although paper books are heavy and take up space, we can take many e-books in the e-book reader. Also e-books can be downloaded from the internet easily, while in case we buy ordinary books online we have to wait for them to be delivered for days.

However, e-books also have some disadvantages. When we drop our e-book reader, it might stop working. Also some people would like to use a highlighter or a pencil to mark key words or sentences in a text. They can't do this with e-books. There are advantages and disadvantages for both kinds of books. People should decide for themselves which kind is better for them.

解答例

訳

本には様々な種類がある。科学や歴史といった様々な話題について事実情報を伝える本がある。他には，読んだ人を幸せにするような読むのがおもしろい物語もある。伝統的に，人々は紙に印刷された本を読んできた。しかしながら今日では，ますます多くの人々が電子書籍を読んでいる。

人々が電子書籍を好むのにはいくつか理由がある。紙の本は重く場所をとるけれども，電子書籍は電子書籍リーダーに多く収めることができる。また電子書籍はインターネットから簡単にダウンロードできるが，一方で紙の本はネットで買う場合でも手元に届くまでに何日かは待たなければならない。

しかしながら電子書籍にもいくつかの欠点はある。電子書籍リーダーを落としてしまうと，作動しなくなるかもしれない。また人々の中には，本文の大事な言葉や文に印をつけるためにマーカーや鉛筆を使いたいかもしれない。電子書籍ではこれはできない。両方の種類の本それぞれに長所と短所がある。自分にとってどちらが良いのか自分自身で決めるべきだ。

解答例

While people have read paper books traditionally, more and more people read e-books today. E-books are popular because people can carry many books easily. And they can download e-books right away. However e-books have disadvantages because they cannot be read when e-book reader is broken. Also people cannot mark in them unlike paper books.　(54 語)

解答例訳

人は伝統的に紙の本を読んできたが，ますます多くの人が今日では電子書籍を読む。電子書籍は簡単に多くの本を持ち運びできるので人気がある。また，電子書籍はすぐにダウンロードができる。しかしながら電子書籍には，電子書籍リーダーが壊れていると読むことができない，という欠点がある。また紙の本と違い，電子書籍には印をつけることはできない。

解説

テーマ：紙の本と電子書籍について
プラス面の理由：持ち運びのしやすさ，入手のしやすさ
マイナス面の理由：媒体の故障によるリスク，活用方法の幅

補足

electronic book (= e-book)　電子書籍
prefer　好む(prefer A to B，B よりも A を好む)
ordinary book　普通の本(paper book)
online　(副詞・名詞・形容詞)オンライン(の)，ネットで(= on the internet)

Part 4 ライティング・英作文

テーマ

1 文化・スポーツ

(1)

- 以下の TOPIC について，あなたの意見とその理由を 2 つ書きなさい。
- POINTS は理由を書く際の参考となる観点を示したものです。ただしこれら以外の観点から理由を書いてもかまいません。
- 語数の目安は 80 語 ～ 100 語です。

TOPIC

These days, many Japanese athletes go abroad and play for teams in other countries. Do you think the number of these athletes will increase in the future?

POINTS

- Skill
- Money
- Experience

---

(2)

- 以下の TOPIC について，あなたの意見とその理由を 2 つ書きなさい。
- POINTS は理由を書く際の参考となる観点を示したものです。ただしこれら以外の観点から理由を書いてもかまいません。
- 語数の目安は 80 語 ～ 100 語です。

TOPIC

These days, there are some movies which have many violent scenes. Do you think people should stop making these movies?

POINTS

- Influence
- Reality
- Lives

解答例

(1)

解答例

意見In my view, the number of athletes who play for teams abroad will increase in the future. The reasons are as follows. 理由①First, they can make much more money playing for teams in the country. 理由②Second, it's a very good way for them to improve their skills. For example, for soccer players there are many first-class players in the major European teams so Japanese players can learn many things such as technical skills and ways of practice. For these reasons, the number of athletes who play abroad will increase more in the future. (93 語)

解答例訳

私の意見では，海外のチームでプレーをするスポーツ選手の数は将来増えると思います。その理由は以下のとおりです。１つ目は，その国のチームでプレーをしてずっと多くのお金を稼ぐことができます。２つ目は，彼らにとって自分たちの技術を向上させるのにとてもよい方法だからです。例えば，サッカー選手の場合，主要なヨーロッパのチームには数多くの一流選手が在籍しており，日本人選手は，技術や練習方法のような多くのことを学ぶことができます。これらの理由で，海外でプレーをする選手の数は将来もっと増えるでしょう。

---

(2)

解答例

意見In my view, we should not stop making movies which have many violent scenes. The reasons are as follows. 理由①First, some young people might be influenced by watching such movies and cause some trouble, but we can prevent that by limiting the age of viewers. 理由②Second, many people want to watch something that is different from their normal lives. Today many people are under a lot of stress and by watching these movies, they can reduce their stress. With these reasons, I think that we should not stop making movies which have many violent scenes. (95 語)

解答例訳

私の意見では，多くの暴力場面がある映画を製作するのを止めるべきではありません。その理由は以下のとおりです。１つ目は，若い人の中にはそういう映画を観ることで影響を受け，何らかの問題を起こす人も出てくるかもしれませんが，視聴可能年齢を制限することでそうしたことは避けられます。２つ目は，多くの人々は自分たちの日常生活とは異なった何かを観たいからです。今日、多くの人々はたくさんのストレスにさらされており，こういった映画を観ることで自分たちのストレスを減らすことが可能です。こういった理由により，多くの暴力場面を含む映画の製作を止めるべきではないと考えます。

Part 4 ライティング・英作文

テーマ 2 社会に関すること

学習日	目標時間	得点
/	1問 15分	/2 合格点1点

(1)

● 以下の TOPIC について，あなたの意見とその理由を 2 つ書きなさい。
● POINTS は理由を書く際の参考となる観点を示したものです。ただしこれら以外の観点から理由を書いてもかまいません。
● 語数の目安は 80 語 ～ 100 語です。

TOPIC
These days, many people buy things with credit cards instead of cash. Do you think more people will do so in the future?

POINTS
● Convenience
● Bank
● Loan

---

(2)

● 以下の TOPIC について，あなたの意見とその理由を 2 つ書きなさい。
● POINTS は理由を書く際の参考となる観点を示したものです。ただしこれら以外の観点から理由を書いてもかまいません。
● 語数の目安は 80 語 ～ 100 語です。

TOPIC
These days, many Japanese people work in foreign countries. Do you think the number of these people will increase in the future?

POINTS
● Experience
● Safety
● Language

解答例

(1)

解答例

意見In my view, more and more people would buy things with credit cards instead of cash. The reasons are as follows. 理由①First, it is very convenient for them to use credit cards because they don't need to go to the bank before shopping. Today we can buy many things by the cards. 理由②Second, many people don't want to carry a lot of cash with them. Some people would think that they can save money by not carrying cash. With these reasons, I think that more and more people would become to buy things with credit cards in the future. (99 語)

解答例訳

私の意見では，ますます多くの人が，現金の代わりにクレジットカードで買い物をすると考えます。その理由は以下のとおりです。１つ目は，人々にとってクレジットカードを使用することはとても便利だからです。というのは，買い物の前に銀行に行く必要がありません。今日，人々は多くのものをカードで購入できます。２つ目は，多くの人々はたくさんのお金を持ち歩きたくないからです。人々の中には，現金を持ち運ばないことでお金を節約できると考えている人もいます。こういった理由により，ますます多くの人が将来，クレジットカードで買い物をするようになると考えます。

---

(2)

解答例

意見In my view, the number of people who work in foreign countries will not increase. The reasons are as follows. 理由①First, Japan is safer than any other countries all over the world. Many Japanese people would feel comfortable in Japan. 理由②Second, today in Japan, many people can't speak foreign languages very well. So they would hesitate to work in foreign countries even if they have an interest to do so. For these reasons, the number of people who work in foreign countries won't increase in the future. (87 語)

解答例訳

私の意見では，外国で働く人の数は増えないと思います。その理由は以下のとおりです。１つ目は，日本は世界中のあらゆる国と比べて安全です。多くの日本人は，日本で快適さを感じているでしょう。２つ目は，今日の日本で，多くの人々は外国語をあまりうまくしゃべれません。よって，彼らは外国で働くことに関心があったとしても，それをためらうでしょう。これらの理由で，外国で働く人の数は将来増えないでしょう。

テーマ
3 教育に関すること

(1)

● 以下の TOPIC について，あなたの意見とその理由を 2 つ書きなさい。
● POINTS は理由を書く際の参考となる観点を示したものです。ただしこれら以外の観点から理由を書いてもかまいません。
● 語数の目安は 80 語 ～ 100 語です。

TOPIC
These days, some high schools are offering foreign-language classes besides English. Do you think the number of those schools will increase in the future?

POINTS
● Culture
● Time
● Career

---

(2)

● 以下の TOPIC について，あなたの意見とその理由を 2 つ書きなさい。
● POINTS は理由を書く際の参考となる観点を示したものです。ただしこれら以外の観点から理由を書いてもかまいません。
● 語数の目安は 80 語 ～ 100 語です。

TOPIC
These days, most people use mobile phones in their daily lives. Do you think it is a good idea for elementary school children to have mobile phones?

POINTS
● Safety
● Study
● Site

解答例

(1)

解答例

意見In my view, the number of high schools which offer foreign-language classes besides English won't increase. The reasons are as follows. 理由①First, students don't have enough time to study the second foreign language because they are busy studying other subjects for an entrance examination. 理由②Second, they should build up their skill in English more. Today in this global village, they need to promote their English skill at first. Many school owners would understand it. For these reasons, I think the number of high schools which offer foreign-language classes besides English won't increase. (92 語)

解答例訳

私の意見では，英語以外の外国語の授業を提供する高校の数は増えないと思います。その理由は以下のとおりです。1つ目は，学生たちは入学試験のためにほかの教科を勉強するのに忙しいので，第2外国語を勉強する十分な時間がないからです。2つ目は，学生たちは英語の能力をもっと向上させるべきだからです。今日のこの地球村ではまず，英語の能力を向上させる必要があります。多くの学校経営者はそれを理解しています。これらの理由で，私は英語以外の外国語の授業を提供する高校の数は増えないと思います。

---

(2)

解答例

意見In my view, for elementary school children, having mobile phones is a very good idea. The reasons are as follows. 理由①First, there are some cases attacking school children such as a kidnapping these days. To avoid those cases, mobile phones could be helpful. Children can use mobile phones to contact their parents anytime. 理由②Second, parents may have a case they have to call their children in case of emergency. For these reasons, I think it is a good idea for elementary school children to have mobile phones. (87 語)

解答例訳

私の意見では，小学生が携帯電話を持つことはとてもよい考えだと思います。その理由は以下のとおりです。1つ目は，近頃では誘拐のような小学生を攻撃する事件があるということです。そうした事件を避けるために，携帯電話は役に立ちます。子どもたちはいつでも親に連絡を取るために携帯電話を使うことができます。2つ目は，親たちが緊急時に自分たちの子どもに電話をしなければならない場合があるかもしれません。これらの理由で，小学生が携帯電話を持つことはよい考えだと思います。

攻略テクニック！

Part 5 リスニング

POINT・第1部

※試験内容などは変わる場合があります

〈会話の内容一致選択〉

形式	対話を聞き，その内容に関する質問の答えを4つの選択肢の中から選ぶ
問題数	15問
解答時間	1問につき10秒
傾向	A，B2人による2往復の対話。放送文はそれぞれ一度だけ読まれる
対策	ふだんから英語の音源などを聞き，英語の音声に慣れておこう

テクニック❶ 先に選択肢を読む！

選択肢はすべて問題用紙に印刷されています。放送文が始まる前に，**選択肢を読んでおきましょう**。対話の状況や，質問内容を予想できれば，放送文の聞き取りが楽になります。完全に読み切る必要はなく，さっと目を通す程度で十分です。

解答時間に余裕がなければ，必ずしも次の問題の選択肢をすべて読む必要はありません。その状況に応じ，落ち着いて問題を解きましょう。

テクニック❷ 対話の1往復目でテーマをつかむ！

話者2人の最初のやりとりで，対話のテーマや状況，2人の関係についての情報をつかみましょう。話者の関係は**友達**，**家族**，**会社の上司・部下**，**同僚**，**教師と生徒**がよく出ます。

テクニック❸ 何を問われているか聞き取る！

質問文は必ず疑問詞から始まります。**「何についての質問か」「だれについての質問か」**をしっかり聞き取りましょう。対話中に出てくる人名にも注意が必要です。また，質問文の末にある時・場所を示す語句を聞き間違うと，誤った選択肢を選びかねません。質問文は最後まで，注意して聞き取りましょう。

POINT・第２部

〈文の内容一致選択〉

形　式　英文を聞き，その内容に関する質問の答えを４つの選択肢の中から選ぶ

問題数　15問

解答時間　1問につき10秒

傾　向　英文が４～５文ほど放送される。放送文はそれぞれ一度だけ読まれる

対　策　物語文，説明文，アナウンス，それぞれのパターンに慣れておこう

テクニック❹　選択肢から問題のポイントを予想する！

第１部同様，選択肢に先に目を通し，何を質問されるのか予想しておきましょう。また，**選択肢に似た文や語句**が出てきたら，そこは重要な聞き取り部分です。ポイントを聞き逃さないよう集中しましょう。

テクニック❺　放送文と選択肢の言い換えに注意！

放送文中の語句が，選択肢では同じ意味を表す**別の語句に言い換えられている場合**があります。筆記試験の長文読解問題同様，「同意表現」「具体化」「抽象化」などのパターンを押さえておきましょう。

また，放送文と同じ語句を含む選択肢が正解とは限りません。放送文，選択肢の両方の意味を理解して正解を選びましょう。

テクニック❻　放送中にメモを取ろう！

英文は一度しか放送されないので，集中して聞き取る必要があります。また，１問の中で日時や場所，その他の情報が複数出てくるので，聞きながらメモを取るようにしましょう。さまざまな**情報の組み合わせを把握する**ことが重要です。

物語文では，１人の行動を時系列順に追う放送文がよく出題されます。「時－行動」の組み合わせに注意しましょう。天気予報の問題では「時間帯－天気」，デパートなどのセールの店内アナウンスでは「売り場－フロア」など，問題によっていろいろな組み合わせがあります。しっかり練習して，パターンをつかんでおきましょう。

Part 5 リスニング・会話の内容一致選択

テーマ

1 理由を問う問題

学習日	解答時間	得点
/	1問 10秒	/4 合格点3点

対話を聞き，その質問に対して最も適切なものを 1，2，3，4 の中から一つ選びなさい。

No.1 TR 3

1. She was going to call after helping him move.
2. She was going to fix her car by herself.
3. She wanted him to call a repair shop.
4. She didn't know which repair shop to go to.

No.2 TR 4

1. He didn't want to treat Tom like a child.
2. He wasn't interested in how Tom lives.
3. Tom cleans up his room every week.
4. Half a year has passed since Tom left their home.

No.3 TR 5

1. She will have to hand in a report by tomorrow.
2. She will be busy preparing for the examination.
3. The gas station will be closed.
4. The weather is expected to be bad.

No.4

1. She has also wanted a dog for a long time.
2. She is used to taking care of a dog.
3. Kevin can learn a lot from looking after animals.
4. Keeping animals is a waste of time and money.

Point!

提案・依頼・意見に対する反対の理由がよく問われる。
とくに，否定語の not [no] や but 以下を聞き逃さない！

解答と解説

No.1 TR-3

放送文

A: My car is making a strange noise. I think there's something wrong.
B: Why don't you call for an appointment to get your car fixed?
A: I wanted to, but I just moved here, so I don't know a good repair shop.
B: Oh, I see. I know a good mechanic, so I will call him this evening.
Question: Why didn't the woman call a repair shop?

放送文 訳

A：私の車，変な音がするの。何かの調子が悪いのだと思うわ。
B：車の修理をしてもらうために，予約の電話をしてみたらどうだい？
A：そうしたかったけど，引っ越してきたばかりで，いい修理店を知らないの。
B：なるほど。腕がいい修理工を知っているから，今日の夕方に電話をしておくよ。
質問：なぜ女性は修理店に電話をしなかったのですか。

選択肢訳 **1. 彼の引っ越しの手伝いをしたあとに電話をするつもりだった。 2. 自分で車を修理するつもりだった。 3. 修理店への電話を彼にしてもらいたかった。 4. どの修理店に行けばよいか分からなかった。**

解説 女性の２番目の発言 I wanted to, but ... 以下が電話をしなかった理由。

No.2 TR-4

放送文

A: It's been half a year since Tom started to live alone.
B: I'm sure his room is so messy.
A: I've been worried about how he lives. How about going to check out his room this weekend?
B: No, you don't have to. He is a man, not a child.
Question: Why didn't the man agree to the woman's suggestion?

放送文 訳

A：トムが一人暮らしを始めてから半年がたったわね。
B：彼の部屋は散らかっているだろうね。
A：トムがどうやって暮らしているか心配だわ。今週末，彼の部屋を見に行ってみない？
B：いや，その必要はないよ。彼は大人なんだ。子どもじゃないよ。
質問：なぜ男性は女性の提案に賛成しなかったのですか。

選択肢訳 **1. トムを子ども扱いしたくなかった。 2. トムの生活に関心がなかった。 3. トムは毎週部屋を掃除する。 4. トムが家を出て半年がたった。**

解説 No で始まる男性の最後の発話に注目。He is a man, not a child. と述べている。

No.3 TR-5

正解 2

🔊 放送文

A: Alice, I asked you to go to the gas station to wash the car this morning, right? Did you forget?

B: No, I was going to, but the midday weather report said it was going to rain tonight.

A: Oh, I see. If the weather is good tomorrow, can you do it?

B: Sorry, I can't. I want to focus on getting ready for the next exam all day tomorrow.

Question: Why can't Alice go to the gas station tomorrow?

🔊 放送文 訳

A：アリス，今朝，洗車しにガソリンスタンドへ行くよう頼んだよね。忘れたの？

B：いいえ，行くつもりだったのだけど，お昼の天気予報で今晩は雨になるって言ったのよ。

A：そうだったのか。明日，天気がよかったら，行ってくれるかい？

B：ごめんなさい，できないわ。明日は一日中，次の試験の準備に集中したいの。

質問：なぜアリスは明日ガソリンスタンドへ行けないのですか。

選択肢訳 **1.** **明日までにレポートを提出しなければならない。** **2.** **試験準備で忙しい。** **3.** **ガソリンスタンドは閉鎖される。** **4.** **天気が悪くなると予想されている。**

解説 最後の発話でアリスはI want to ... getting ready for the next examと述べている。選択肢**4**は今晩のことなので不適切。

No.4 TR-6

正解 3

🔊 放送文

A: John, Kevin says he wants a dog. What do you think?

B: Not a good idea. Keeping a pet takes time and money.

A: But I think Kevin can learn lots of things through caring for animals.

B: I see. I'll think about it.

Question: Why didn't the woman agree with John's opinion?

🔊 放送文 訳

A：ジョン，ケビンが犬を飼いたいと言っているのよ。どう思う？

B：いい考えではない。ペットとして動物を飼うには時間もお金も必要だよ。

A：だけど，動物の世話をすることでケビンはいろいろなことを学べると思うの。

B：なるほどね。考えておくよ。

質問：女性がジョンの意見に賛成しなかった理由は何ですか。

選択肢訳 **1.** **彼女も長い間，犬を飼いたがっていた。** **2.** **彼女は犬の世話をすることに慣れている。** **3.** **ケビンが動物の世話をすることで多くのことを学べる。** **4.** **動物を飼うことは時間とお金の無駄である。**

解説 女性がジョンに反対している理由は２番目の発話。Kevin can learn ... through caring for animalsと述べている。

Part 5 リスニング・会話の内容一致選択

テーマ 2 話題を問う問題

学習日	解答時間	得点
/	1問 10秒	/4 合格点3点

対話を聞き，その質問に対して最も適切なものを 1，2，3，4 の中から一つ選びなさい。

No.1 TR 7

1. How many pictures to enclose.
2. How to send a letter abroad.
3. When to visit her host family.
4. How to get to London.

No.2

1. A good do-it-yourself store.
2. A dog house made by a carpenter.
3. The activity of making things herself.
4. The color arrangement for a dog house.

No.3

1. The doctor's reputation.
2. The man's poor health.
3. The best way to lose weight.
4. The apple pie the woman made.

No.4

1. Staying at a hotel near the airport.
2. Stopping at a convenience store.
3. Going on a trip.
4. Building a new airport.

Point!

選択肢が，*doing* 形（動名詞）で始まる場合や名詞句である場合が多い。話題を選ぶときは，対話を全体的にとらえることが大切。

解答と解説

No.1 TR-7

正解 2

放送文

A: I'm considering writing to my host family in London. Can you tell me how to write their address?
B: Sure. Write it in the middle of the envelope and your address here.
A: That's easy. Thank you, Tim.
B: No problem, Saki. Did you enclose any pictures of your family?
Question: What are they talking about?

放送文 訳

A：ロンドンにいるホストファミリーに手紙を書こうと思っているの。彼らの住所の書き方を教えてくれない？
B：もちろん。彼らの住所は封筒の真ん中に，きみの住所はここに書くんだよ。
A：簡単ね。ありがとう，ティム。
B：どういたしまして，サキ。きみの家族の写真は封筒に入れたかい？
質問：彼らは何について話していますか。

選択肢訳 1. 送る写真の枚数。 2. 外国への手紙の送り方。 3. ホストファミリーを訪ねる時期。 4. ロンドンへの行き方。

解説 ティムがサキに，封筒のどこに住所を書くか教えているので，選択肢 **2** が正解。

No.2 TR-8

正解 3

放送文

A: I'm looking for a hand drill.
B: Are you going to drill a hole in a wooden board or something?
A: Yeah, I want to make a dog house by myself, but I know nothing about do-it-yourself products.
B: I'll be happy to help you, ma'am. Do you have any other tools?
Question: What is the woman interested in?

放送文 訳

A：手動式ドリルを探しているのですが。
B：木製の板などに穴をあけるおつもりですか？
A：ええ，自分で犬小屋を作りたいけれどDIY 用品のことがまったく分からなくて。
B：喜んでお手伝いします，お客様。ほかの道具はお持ちですか？
質問：女性は何に興味がありますか。

選択肢訳 1. 評判のよい DIY 用品店。 2. 大工が作った犬小屋。 3. 自分でものを作る活動。 4. 犬小屋の配色。

解説 DIY 用品店での女性客と店員の会話。２番目の発話で女性客は I want to make a dog house by myself と述べている。これを言い換えた選択肢 **3** が正解。

No.3 TR-9

放送文

A: I made an apple pie for you. My mother sent me a lot of apples. Don't you want to try some?

B: Thanks, but recently I haven't felt like eating.

A: Oh, I remember. You said you had lost a lot of weight.

B: Yeah. I feel really weak and dizzy. I have had trouble waking up these days. I should see a doctor.

Question: What are they discussing?

放送文 訳

A：あなたにアップルパイを作ったの。母がりんごをたくさん送ってきたのよ。食べてみない？

B：ありがとう。でも，最近食欲がなくてね。

A：ああ，思い出したわ。あなた，ずいぶん体重が減ったって言っていたわよね。

B：ああ。だるいし，めまいがするんだ。近頃は，起きるのにひと苦労だよ。医者に行ってみるよ。

質問：彼らは何を話し合っていますか。

選択肢訳
1. 医者の評判。
2. 男性の体調不良。
3. 減量するための最善の方法。
4. 女性が作ったアップルパイ。

解説 男性がアップルパイを断る際に「食欲がない」と述べてから，lost a lot of weight, weak and dizzy, trouble waking up など，体調不良についての会話が続く。

No.4 TR-10

放送文

A: Sophia, your mom and I are going to the Lake District in Britain this summer. Will you join us?

B: That sounds exciting, Dad. Where are we going to stay?

A: At my sister's house for five days. It's near the airport.

B: That's convenient, but I'd rather stay at a nice hotel overlooking the lake.

Question: What is their conversation about?

放送文 訳

A：ソフィア，ぼくはお母さんと今年の夏にイギリスの湖水地方に行く予定だよ。いっしょに行くかい？

B：楽しそうね，お父さん。どこに泊まるつもりなの？

A：妹の家に５日間泊まる予定だよ。空港の近くなんだ。

B：便利だね。だけど，私は湖が見渡せる素敵なホテルに泊まるほうがいいわ。

質問：彼らの会話は何についてですか。

選択肢訳
1. 空港近くのホテルに泊まること。
2. コンビニエンスストアに寄ること。
3. 旅行に行くこと。
4. 新しい空港を建設すること。

解説 父親は最初の発話で娘のソフィアをイギリスの湖水地方に行こうと誘っている。その後２人は宿泊先について話している。これらの対話全体は旅行についてのことなので，選択肢 **3** が正解。

Part 5 リスニング・会話の内容一致選択

テーマ

3 人物の行動を問う問題

学習日 ／　解答時間 1問 10秒　得点 ／4 合格点3点

対話を聞き，その質問に対して最も適切なものを 1，2，3，4 の中から一つ選びなさい。

No.1

1. Cook supper for her.
2. Take her dress to the dry cleaners.
3. Go and get ingredients for supper.
4. Cut a pineapple in half.

No.2

TR 12

1. Watch a movie in a theater.
2. Babysit for a boy.
3. Stand in line for a movie ticket.
4. Meet Olivia at a movie theater.

No.3

1. Wear a dress that is her favorite colors.
2. Wear a brightly-colored dress.
3. Stand out by wearing white.
4. Attend a wedding dressed in black.

No.4

1. Consulting her doctor about sleeping problems.
2. Explaining about a medicine to her patient.
3. Taking mild sleeping pills.
4. Suffering from the side effects.

Point!

第1部の15問中5～6問が人物の行動についての問題。
選択肢は，原形または doing 形（現在分詞）の場合が多い。

解答と解説

No.1 TR-11

正解 3

放送文

A: Will you go to the supermarket and get some meat for supper?
B: Sure. Do you want any fruit?
A: Yeah, a half cut pineapple would be nice.
B: OK. I'll stop by the dry cleaners to pick up my shirts and your dress, too.
Question: What does the woman ask the man to do?

放送文 訳

A：スーパーに行って，夕食用に肉を買ってきてくれない？
B：いいよ。果物はいるかい？
A：ええ，半分に切ったパイナップルがいいわね。
B：ああ。クリーニング店に寄って，ぼくのシャツときみの服も引き取ってくるね。
質問：女性は男性に何をするように頼んでいますか。

選択肢訳 1. 彼女に夕食を作る。 2. 彼女の服をクリーニング店に持っていく。 3. 夕食用の食材を買いに行く。 4. パイナップルを半分に切る。

解説 女性が男性に頼んでいることは，最初の発話 Will you ～？に当たる部分。

No.2 TR-12

正解 1

放送文

A: Emma, can we meet tomorrow?
B: I'm afraid I can't. I promised to babysit the boy next door.
A: You said your neighbor Olivia usually does it, didn't you?
B: Yeah, but she can't tomorrow. What if we go to the movies tonight? I have two free tickets.
Question: What will they probably do next?

放送文 訳

A：エマ，明日会えるかい？
B：残念だけど，会えないわ。隣に住む男の子のベビーシッターをする約束なの。
A：いつもは近所にいるオリビアがベビーシッターをやるって言ってなかった？
B：ええ，でも彼女は，明日はできないの。今晩映画を見に行かない？　映画の招待券が２枚あるの。
質問：このあと，彼らはおそらく何をするでしょうか。

選択肢訳 1. 映画館で映画を見る。 2. 男の子のベビーシッターをする。 3. 映画の券を買うため列に並ぶ。 4. 映画館でオリビアと会う。

解説 エマは男性に What if ...? で，今夜映画を見に行くことを提案している。選択肢から当てはまるのは２人で映画を見に行くことなので，選択肢 **1** が正解。

No.3 TR-13

正解 2

放送文

A: What do you think of this dress?

B: No way, Alice! A wedding guest shouldn't wear white because the bride should stand out by being the only one wearing white.

A: Yeah, that makes sense. How about a black one?

B: Wearing black isn't bad, but I think brighter colors are better.

Question: What does the man suggest that Alice do?

放送文 訳

A：このドレスどう思う？

B：あり得ないよ，アリス！　結婚式の招待客は白い服を着ないほうがいいよ，花嫁だけが白い色を身にまとうことで目立てるのだから。

A：ああ，なるほどね。黒はどう？

B：黒い服を着るのは悪くないけど，もっと明るい色のほうがいいと思うな。

質問：男性はアリスに何をするよう提案していますか。

選択肢訳 **1.** 好きな色のドレスを着る。　**2.** 明るい色のドレスを着る。
3. 白い服を着て目立つ。　**4.** 黒い服を着て結婚式に出席する。

解説 男性はアリスに，「白は花嫁の色だから着るべきではない」「明るい色のドレスのほうが(黒より)いい」と意見を述べている。これと一致する選択肢 **2** が正解。選択肢 **4** はアリスが出した意見なので不適切。

No.4 TR-14

正解 1

放送文

A: I haven't slept well in the past six months and I feel dizzy.

B: Oh, that's too bad. Would you like some medicine?

A: Yes, please. Are they sleeping pills? I'm worried about their side effects.

B: Don't worry. I'll give you mild ones. Make sure not to take them if you don't need to.

Question: What is the woman doing?

放送文 訳

A：この6か月間，よく眠れなくてめまいがします。

B：ああ，それはお気の毒に。薬を出しましょうか。

A：ええ，お願いします。それは睡眠薬ですか？　副作用が心配です。

B：大丈夫ですよ。軽めの薬を出しますから。必要なければ飲まないよう注意してください。

質問：女性は何をしていますか。

選択肢訳 **1.** 睡眠障害について医者に相談している。　**2.** 患者に薬の説明をしている。
3. 軽い睡眠薬を飲んでいる。　**4.** 副作用に苦しんでいる。

解説 よく眠れないという女性に対し，男性は「薬を出しましょうか」と言っている。また，あとに続く副作用についての会話からも，医師である男性に女性が相談している場面であることが分かる。

テーマ

4 出来事を問う問題

学習日 ／ 解答時間 1問 10秒 得点 ／4 合格点3点

対話を聞き，その質問に対して最も適切なものを 1，2，3，4 の中から一つ選びなさい。

No.1 TR 15

1. Her yellow sweater was expensive.
2. Her yellow sweater was a damaged one.
3. She found holes in her two sweaters.
4. She forgot to take the receipt.

No.2 TR 16

1. She met a famous makeup artist.
2. She got a headache from beauty items.
3. She experienced skin problems from beauty items.
4. She was given expensive cleansing cream for free.

No.3 

1. Their daughter got lost in the store.
2. Their daughter cried for toys.
3. They had trouble finding a bathroom.
4. They arrived at the meeting location late.

No.4 

1. Getting home from his office.
2. Arriving home late at night.
3. Getting on the last bus.
4. Driving a car in the rain.

Point!

トラブルや災難についての問題では，選択肢にマイナスイメージの語が含まれている。出来事とその結果に注意して聞くこと。

解答と解説

No.1 TR-15

放送文

A: Look, I got these sweaters at 70% off at the outlet mall.

B: That's amazing... Look! The yellow sweater has a hole!

A: Oh, no! I want to get a refund. I'll go to the mall later.

B: Yeah, that would be wise. Remember to take your receipt.

Question: What is the woman's problem?

放送文 訳

A：見て，このセーター，アウトレットモールで70%オフだったのよ。

B：それはすごいね。あっ！　その黄色のセーターに穴があいているよ！

A：あら，やだ！　返金してもらいたいわ。あとでモールに行ってくるわ。

B：ああ，それがいいね。レシートを持っていくのを忘れないようにね。

質問：女性の問題は何ですか。

選択肢訳 **1.** 黄色のセーターは高価だった。　**2.** 黄色のセーターは欠陥商品だった。　**3.** ２枚のセーターに穴があいていた。　**4.** レシートを受け取り忘れた。

解説 男性の最初の発話 The yellow sweater has a hole! を受け，女性は返金をお願いしに行くと言っている。正解は選択肢 **2**。

No.2 TR-16

放送文

A: Cathy, you don't look well.

B: I got free samples of a cleansing cream yesterday. My skin hurts a little since using them.

A: That's too bad. You may have had an allergic reaction to it.

B: Yeah, maybe. I'll see a doctor tomorrow.

Question: What happened to Cathy?

放送文 訳

A：キャシー，元気がなさそうだね。

B：昨日，クレンジングクリームの無料サンプルをもらったの。それを使ってから肌が少し痛いのよ。

A：かわいそうに。アレルギー反応を起こしたのかもしれないね。

B：ええ，そうかもしれない。明日医者に診てもらうわ。

質問：キャシーに何が起こりましたか。

選択肢訳 **1.** 有名なメイクアップアーティストに会った。　**2.** 化粧品が原因で頭が痛くなった。　**3.** 化粧品が原因で肌トラブルにあった。　**4.** 無料で高価なクレンジングクリームをもらった。

解説 肌の痛み(skin hurts)は肌トラブルなので，選択肢 **3** が正解。

No.3 TR-17

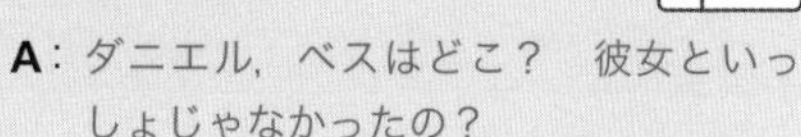

正解 1

放送文

A: Daniel, where is Beth? Were you with her?

B: What? I saw you and Beth in the toy store as I was heading for the rest room.

A: Yeah, but she followed you to the rest room.

B: Oh, no! I'll look around for her. You go to the information desk! Hey, here she comes with a clerk!

Question: What problem did the couple experience?

放送文 訳

A：ダニエル，ベスはどこ？　彼女といっしょじゃなかったの？

B：何だって？　ぼくはトイレに向かっているとき，きみとベスが玩具店にいるのを見かけたよ。

A：ええ，だけどあなたのあとについてトイレに行ったのよ。

B：何てこった！　ぼくは彼女を捜すよ。きみは案内所へ行って！　ああ，ベスが店員といっしょにやって来るよ！

質問：この夫婦はどんな問題を経験しましたか。

選択肢訳
1. 娘が店内で迷子になった。
2. 娘が泣いて玩具を欲しがった。
3. トイレを見つけるのに苦労した。
4. 待ち合わせ場所に遅れて到着した。

解説 娘（ベス）の場所をたずねる妻と，"What?" と返すダニエルのやりとりから，夫婦が娘を見失ってしまったことが分かる。

No.4 TR-18

正解 2

放送文

A: How did you get home after the party ended yesterday?

B: Well, I missed the last train. So, I tried to get a taxi, but I couldn't.

A: Oh, that's too bad. Don't tell me you walked home in the middle of the night.

B: Actually, I did. It took more than two hours. What's worse, I got caught in the rain on my way home.

Question: What did the man have trouble doing?

放送文 訳

A：昨日のパーティーが終わったあと，どうやって家に帰ったの？

B：ああ，最終電車に乗り遅れてしまったんだよ。タクシーを拾おうとしたんだけど，拾えなくてね。

A：あら，それはお気の毒さま。まさか真夜中に歩いて家まで帰ったとは言わないわよね。

B：実はそうなんだ。２時間以上かかったよ。さらに悪いことに，帰る途中に雨に降られたんだ。

質問：男性は何をするのに苦労しましたか。

選択肢訳
1. 職場から帰宅する。
2. 夜遅くに帰宅する。
3. 最終バスに乗る。
4. 雨の中で車を運転する。

解説 パーティーのあと，最終電車を逃しタクシーにも乗れなかった男性は，２時間以上かけて歩いて帰宅したと述べている。

Part 5 リスニング・会話の内容一致選択

テーマ 5 正しい説明を選ぶ問題

対話を聞き，その質問に対して最も適切なものを 1，2，3，4 の中から一つ選びなさい。

No.1 TR 19

1. She prefers to stay at home.
2. She went to a summer camp in Australia.
3. She likes horseback riding.
4. She couldn't enjoy her summer vacation.

No.2

1. It is going to be used by the father.
2. It has just been repaired by a mechanic.
3. The windows do not close properly.
4. There is something wrong with the air conditioner.

No.3 TR 21

1. She often forgets to do her homework.
2. She often sits at her desk until midnight.
3. She likes reading comic books.
4. She is very diligent.

No.4

1. The calcium in milk makes our bones strong.
2. The calcium in milk helps us lose weight.
3. The fat contained in milk is helpful for losing weight.
4. Milk is good for keeping children healthy.

Point!

会話のテーマや会話に登場する人物についての正しい説明を選ぶ。
選択肢の代名詞が何を指すのかしっかり聞き取る！

解答と解説

No.1 TR-19

正解 4

放送文

A: How was your summer vacation?
B: Fantastic! I went to a summer camp in Australia. How about you?
A: I didn't do anything special because I felt bad during the summer. I was so miserable.
B: Sorry to hear that. Why don't we go to a summer camp together next summer? We can do horseback riding.
Question: What do we learn about the girl?

放送文 訳

A：夏休みはどうだった？
B：とてもよかった。オーストラリアでサマーキャンプに参加したんだ。きみは？
A：夏の間は体調が悪くてとくに何もしなかったの。すごくみじめな気分だったわ。
B：それは残念だったね。次の夏はいっしょにサマーキャンプに参加しようよ。乗馬を楽しめるよ。
質問：少女に関してどのようなことが分かりますか。

選択肢訳 **1.** 家にいるほうが好き。 **2.** オーストラリアのサマーキャンプに参加した。 **3.** 乗馬が好き。 **4.** 夏休みを楽しめなかった。

解説 少女の２番目の発話に，とくに何もせず，すごくみじめな気分だったとある。

No.2 TR-20

正解 4

放送文

A: Dad, can I use your car today? I want to go to the station.
B: Sorry, you can't. I'm supposed to pick up Mom at the airport.
A: Then, can I use Mom's car?
B: Sure. But the air conditioner is not working well. I heard Mom is going to have it repaired tomorrow.
Question: What is one thing we learn about the mother's car?

放送文 訳

A：お父さん，今日お父さんの車を使ってもいい？　駅まで行きたいの。
B：ごめんよ，使えないんだ。母さんを迎えに空港に行くことになっていてね。
A：じゃあ，お母さんの車を使っていい？
B：いいよ。だけど，母さんの車のエアコンはしっかり動かないよ。母さんは明日，車を修理に出すらしい。
質問：母親の車について分かることの一つは何ですか。

選択肢訳 **1.** 父親が使う予定である。 **2.** 修理工に修理されたところである。 **3.** 窓がきちんと閉まらない。 **4.** エアコンの調子が悪い。

解説 修理は明日出す予定なので選択肢 **2** は不適切。

No.3 TR-21

放送文

A: Tommy, why didn't you finish your homework?
B: I was going to, but I was too sleepy. Then I opened my comic book and I fell asleep.
A: Look at Lily. Your sister always sits at her desk and completes her homework before supper.
B: Hmm ... she is different than me. I'll do my homework now.
Question: What do we learn about Tommy's sister?

放送文 訳

正解 **4**

A：トミー，どうして宿題を終わらせなかったの？
B：終わらせようとしたけど，眠すぎたんだ。それで漫画を読み始めて，気づいたら眠ってたんだ。
A：リリーを見なさい。いつも机に向かって夕食前には宿題を終わらせているわよ。
B：ううん…彼女はぼくとは違うんだよ。今宿題をするよ。
質問：トミーの姉についてどのようなことが分かりますか。

選択肢訳 **1.** よく宿題を忘れる。 **2.** よく夜中まで机に向かっている。 **3.** 漫画を読むのが好きである。 **4.** 非常に勤勉である。

解説 リリー（Tommy's sister）について，母親の２番目の発話 always sits at her desk ... で説明されている。リリーは勤勉であると言えるので選択肢 **4** が正解。

No.4 TR-22

放送文

A: I think you drink too much milk. Are you sure that's a good idea?
B: Yeah, actually it's good for dieters.
A: Oh, really? I thought milk products aren't good for dieters because they are rich in fat.
B: That's true, but I hear the calcium in milk may lead to weight loss.
Question: What does the woman say about drinking milk?

放送文 訳

正解 **2**

A：きみは牛乳の飲みすぎだと思うよ。それで大丈夫なの？
B：ええ，実は牛乳はダイエットをしている人にいいのよ。
A：へえ，そうなの？　乳製品は脂肪分が豊富だから，ダイエットをしている人にはよくないのだと思っていたよ。
B：確かにそうなんだけど，牛乳に含まれるカルシウムが減量に役立つらしいの。
質問：牛乳を飲むことについて女性は何と言っていますか。

選択肢訳 **1.** 牛乳に含まれるカルシウムが骨を丈夫にする。 **2.** 牛乳に含まれるカルシウムが減量に役立つ。 **3.** 牛乳に含まれる脂肪が減量に役立つ。 **4.** 牛乳は子どもの健康を維持するのに役立つ。

解説 女性の２番目の発話 the calcium in milk may lead to weight loss が答え。

Column

リスニングのコツ

選択肢から質問文のパターンを予想する！

リスニング問題では，はじめに選択肢に目を通すことで，質問文のパターンをある程度予測できます。代表的なパターンと具体例を以下に紹介します。

●選択肢が動詞の原形で始まる場合

1. Board another plane for Paris immediately.
2. Clear the snow outside the airport.
3. Stay overnight in the airport.
4. Go to the gate for gift coupons.

Question: What should people taking Flight 135 do?
「135便に乗る人たちは何をすべきですか？」

〈その他のパターン〉 What does S want to do?「*S*は何をしたいのですか」

→人物の「すべきこと」「したいこと」「これからの予定」などが問われます。

●選択肢が文の場合

1. Her yellow sweater was expensive.
2. Her yellow sweater was a damaged one.
3. She found holes in her two sweaters.
4. She forgot to take the receipt.

Question: What is the woman's problem?　「女性の問題は何ですか？」

〈その他のパターン〉 What does *S* say about ～？
「*S*は～について何と言っていますか？」

→問題点や，人物の意見，「～について分かることの一つ」などが問われます。

●選択肢が名詞句や名詞節の場合

1. A letter from one of his friends living far away.
2. A letter from his first friend at a new school.
3. A handwritten letter from his parents.
4. E-mails he exchanged with his friends.

Question: What made Larry happy?　「ラリーをうれしくさせたのは何ですか？」

〈その他のパターン〉 What are they talking about?
「彼らは何について話していますか？」

→物事の，原因や話題などが問われます。

Part 5 リスニング・文の内容一致選択

テーマ 1

物語文①

What で始まる疑問文

英文を聞き，その質問に対して最も適切なものを 1，2，3，4 の中から一つ選びなさい。

No.1

1. Appear on a TV program.
2. Become an architect working internationally.
3. Meet an architect she saw on TV.
4. Open her own architecture office.

No.2

1. A letter from one of his friends living far away.
2. E-mails he exchanged with his friends.
3. A handwritten letter from his parents.
4. A letter from his first friend at a new school.

No.3

1. She missed the first train.
2. She fell asleep and went past her stop.
3. She arrived at the station too late.
4. She didn't know where to get off the train.

No.4

1. It means a driver without license.
2. It is an old English word.
3. The expression is common around the world.
4. The expression is not used by English speakers.

Point!

人物の体験や日常的な出来事を述べる物語文は，第２部で最頻出。何が起こったか，原因は何かを，考えながら聞くことが大切。

解答と解説

No.1 TR-24

正解 **2**

放送文

Emily is a high school student. Until recently, she didn't know what she wanted to be in the future. Last week, however, she finally found her dream for the future. She saw an architect working in developing countries and disaster-affected areas around the world on TV. She decided to be an architect like him.

Question: What did Emily decide to do?

放送文 訳

エミリーは高校生である。最近まで彼女は将来何になりたいのか分からなかった。しかし，先週，彼女はとうとう将来の夢を見つけた。あるテレビ番組で発展途上国や世界中の被災地で活動している建築家を見たのである。彼女は彼のような建築家になることを決心した。

質問：エミリーは何をすることに決めましたか。

選択肢訳
1. テレビ番組に出演する。　**2**. 国際的に活躍する建築家になる。
3. テレビで見た建築家に会う。　**4**. 自分の建築事務所を開く。

解説 最終文の She decided to ... が答えに当たる部分。like him の him は第４文の architect working ... around the world を指す。

No.2 TR-25

放送文

When Larry was 12 years old, he was transferred to another school. Though he was living far away from his old friends, he didn't feel lonely because he often exchanged e-mail messages with them. One day, he received a handwritten letter from an old friend of his, Marie. He felt quite happy.

Question: What made Larry feel warm?

放送文 訳

ラリーは 12 歳のときに転校した。旧友とは遠く離れて暮らしていたが，彼らとは頻繁にＥメールの交換をしていたので，ラリーは寂しく思うことはなかった。ある日，彼は旧友の一人であるマリーから手書きの手紙をもらった。彼はとてもうれしく感じた。

質問：ラリーを温かく感じさせたのは何ですか。

選択肢訳
1. 離れて暮らす友人からの手紙。　**2**. 友人と交換したＥメール。
3. 両親からの手書きの手紙。　**4**. 新しい学校での初めての友人からの手紙。

解説 felt ... happy(=warm) とあるのは最終文。その理由は，直前の第３文にある。

No.3 TR-26

放送文

Jennifer is a salesperson at a department store. One day, she set three alarm clocks to get up two hours earlier than usual. She wanted to catch the first train because she had to prepare for the first day of a sale. She managed to catch the first train, but she fell asleep on the train and missed her stop.

Question: What happened to Jennifer on the way to work?

放送文 訳

正解 2

ジェニファーは百貨店の販売員である。ある日，彼女はいつもより２時間早く起きるために目覚まし時計を３個かけた。彼女はセール初日に向けて準備をしなければならなかったため，始発電車に乗りたかったのだ。彼女はなんとか始発電車に乗ることはできたが，電車の中で眠ってしまい乗り過ごしてしまった。

質問：仕事に向かう途中，ジェニファーに何が起こりましたか。

選択肢訳 **1**. 始発電車に乗り遅れた。 **2**. 眠ってしまって乗り過ごした。
3. 駅に着くのが遅すぎた。 **4**. どこで電車を降りるべきか分からなかった。

解説 ジェニファーが仕事に向かう途中の出来事は最終文で述べられている。最終文後半と一致する選択肢 **2** が正解。

No.4 TR-27

放送文

Takeshi has a driver's license, but he rarely drives because he lives in central Tokyo, which has good public transportation. One day, he told Cathy that he is a "paper driver." She couldn't understand what he meant. He realized that the expression was used only by Japanese people.

Question: What did Takeshi learn about the word "paper driver"?

放送文 訳

正解 4

タケシは運転免許を持っているが，めったに運転しない。なぜなら，都心に住んでいて交通の便がよいからである。ある日，彼はキャシーに自分は「ペーパードライバー」だと言った。彼女は彼の言っていることが分からなかった。彼はその表現は日本人だけが使うものだと悟った。

質問：タケシは「ペーパードライバー」という言葉について何が分かりましたか。

選択肢訳 **1**. 免許のない運転手のことである。 **2**. 古い英語の言葉である。
3. 世界共通の表現である。 **4**. 英語話者には使われない。

解説 最終文の the expression は paper driver という言葉を指す。最終２文から「ペーパードライバー」が和製英語であるということが分かる。

物語文②
Why, How で始まる疑問文

学習日	解答時間	得点
/	1問 10秒	/4 合格点3点

英文を聞き，その質問に対して最も適切なものを 1，2，3，4 の中から一つ選びなさい。

No.1

TR 28

1. He is going to throw a party for her.
2. He has to attend another party.
3. He is going to attend her wedding.
4. He does not like going to parties.

No.2

1. He got it at the box office.
2. He got it from his parents.
3. He reserved it online.
4. He picked it up on the street.

No.3

1. Her old glasses were broken.
2. Her contact lens fell out.
3. Her eyes were going bad.
4. She was advised to wear glasses.

No.4

1. They chased him.
2. They welcomed him.
3. They ran away from him.
4. They ran out of the yard.

Point!

理由を問う出題でも，放送文中に because や so などの接続詞が出てこない場合もあるので，文全体の流れをつかむことが大切！

解答と解説

No.1 TR-28

正解 2

放送文

Louise is a college student. Last week, she asked Tom to come to a party on the first Sunday in July. He said that he had to attend a party for his grandparents' 50th wedding anniversary that day. He also said that he would be available on the second Sunday in July, not the first.

Question: Why can't Tom go to Louise's party on the first Sunday in July?

放送文 訳

ルイーズは大学生である。先週，彼女はトムに7月の第1日曜日に開かれるパーティーに来ないかたずねた。彼はその日は祖父母の結婚50周年記念のパーティーに参加しなければならないと言った。彼はまた，7月の第1日曜日ではなく，第2日曜日なら行けるとつけ加えた。

質問：なぜトムは7月の第1日曜日にルイーズのパーティーに行けないのですか。

選択肢訳
1. 彼女のためにパーティーを開く。
2. 別のパーティーに出る必要がある。
3. 彼女の結婚式に出る。
4. パーティーに行くのが好きではない。

解説 7月の第1日曜日に行けない理由は，第3文で述べられている。祖父母の結婚記念パーティー（another party）に出るためなので，選択肢 **2** が正解。

No.2 TR-29

正解 2

放送文

Matthew is a big fan of movies. One day, he wanted to watch a popular movie in a theater, so he went to the box office to get a ticket. But the tickets were sold out half an hour before he got there. As he got home, he found two tickets for the popular movie on the table. It was a present for his birthday from his parents.

Question: How did Matthew get a movie ticket?

放送文 訳

マシューは映画が大好きである。ある日，彼はある人気映画を映画館で見たいと思い，チケットを購入しにチケット売り場へ行った。しかし，チケットは彼が到着する30分前に売り切れていた。帰宅すると，テーブルの上にその人気映画のチケットが2枚あった。それは，彼の両親が誕生日プレゼントとして用意してくれたものだった。

質問：マシューはどのようにして映画のチケットを手に入れましたか。

選択肢訳
1. チケット売り場で買った。
2. 両親からもらった。
3. オンライン予約した。
4. 道で拾った。

解説 第5文 a present for his birthday from his parents から，選択肢 **2** が正解。

No.3 TR-30

放送文

Sara is a computer programmer and spends most of the day sitting in front of a computer screen. Because of that, her eyes are getting weak. So the other day, she went to a store to get a new pair of glasses. She found a nice pair and decided to go home wearing them. Surprisingly, on her way home, the left lens fell out.

Question: Why did Sara buy a new pair of glasses?

放送文 訳

サラはコンピュータープログラマーなので，パソコン画面の前に座って1日の大半を過ごす。そのため，彼女の目は悪くなりつつある。先日，彼女は新しい眼鏡を買うために眼鏡店へ行った。そこで彼女は素敵な眼鏡を見つけ，それをかけて家に帰ろうと決めた。驚くことに，彼女が家に帰る途中，その眼鏡の左レンズが外れてしまった。

質問：なぜサラは新しい眼鏡を買ったのですか。

選択肢訳
1. 古い眼鏡が壊れていた。
2. コンタクトレンズを落とした。
3. 目が悪くなりつつあった。
4. 眼鏡をかけるよう勧められた。

解説 眼鏡を買いに行ったことは第３文に述べられており，So で始まることから，直前の第２文 her eyes are getting weak が理由に当たる部分だと分かる。

No.4 TR-31

放送文

Benjamin is a photographer and has traveled the world. When he visited Greece last year, he got lost and accidentally entered someone's garden. Then, two big dogs came running toward him. He was chased by them as he ran out of the garden. He felt so scared that he hasn't liked dogs since then.

Question: How did the dogs behave toward Benjamin?

放送文 訳

ベンジャミンは写真家で，世界を旅してきた。去年，彼はギリシャを訪れたとき，道に迷い誤って他人の家の庭に入ってしまった。すると，２頭の大型犬が彼のほうに走ってきた。彼はその犬たちに追いかけられながら，庭を走り出た。彼は非常に怖い思いをしたので、それ以来，犬が苦手になった。

質問：犬はベンジャミンに対してどのような振る舞いをしましたか。

選択肢訳
1. 彼を追いかけた。
2. 彼を歓迎した。
3. 走って彼から逃げた。
4. 走って庭から出ていった。

解説 犬の行動は第３，４文に述べられている。文の主語を取り違えないように注意。「走って庭から出ていった」はベンジャミンの行動。He was chased by them (= two dogs) と一致する選択肢 **1** が正解。

Part 5 リスニング・文の内容一致選択

テーマ 3 説明文

英文を聞き，その質問に対して最も適切なものを 1，2，3，4 の中から一つ選びなさい。

No.1 TR 32

1. There are some stories about the origin of it.
2. It is named after a city in Italy.
3. It used to be popular among young people.
4. Some ingredients that are good for your health are used.

No.2 TR 33

1. He learned how to make it from an inventor.
2. He studied how to make it at school.
3. He used modern techniques.
4. He recycled waste materials.

No.3 TR 34

1. They have been interested in art activities.
2. They hold religious ceremonies every year.
3. Body decoration is related to their spiritual life.
4. Body decoration is nothing more than art for them.

No.4 TR 35

1. It started as a way of showing you are an adult.
2. You have a high risk of getting injured.
3. It is popular especially in small villages.
4. Some people avoid it because it is dangerous.

Point!

文化，科学，歴史，人物の伝記を扱う場合が多い。
難しい語彙に惑わされず，全体的な内容を把握することが重要。

解答と解説

No.1 TR-32

正解 4

放送文

Tiramisu is a popular Italian dessert. You can make it easily with several ingredients such as cream, cheese, sugar, coffee, and cocoa powder. The name Tiramisu means "make me happy." The name is related to the fact that coffee and cocoa used in the recipe have some positive effects on our health.

Question: What is one thing we learn about Tiramisu?

放送文 訳

ティラミスはイタリアの人気デザートである。クリーム，チーズ，砂糖，コーヒー，ココアパウダーなどの材料で簡単に作ることができる。ティラミスという名前は「私を元気づけて」という意味である。その名前は，レシピに使われるコーヒーとココアが私たちの健康によい効果をもたらすという事実と関係している。

質問：ティラミスについて分かることの一つは何ですか。

選択肢訳
1. 起源について諸説ある。
2. イタリアの都市にちなんで名づけられた。
3. かつて若者に人気があった。
4. 健康によい材料が使われている。

解説 最終文の the fact that ... on our health が選択肢 **4** と一致する。

No.2 TR-33

正解 4

放送文

William Kamkwamba is a famous inventor. He grew up in a poor country in Africa. In 2001, a serious food shortage hit his country. Because of that, he had to leave school. Then, he started to read science books and succeeded in building a windmill using waste materials such as old bicycle parts.

Question: How did William Kamkwamba make a windmill?

放送文 訳

ウィリアム・カムクワンバは有名な発明家である。彼はアフリカの貧しい国で育った。2001 年，深刻な食糧不足が彼の国を襲った。そのせいで彼は学校を辞めなければならなくなった。その後，彼は科学の本を読み始め，古い自転車の部品などの廃材を使って風車を作ることに成功した。

質問：ウィリアム・カムクワンバはどのようにして風車を作りましたか。

選択肢訳
1. 発明家から作り方を学んだ。
2. 学校で作り方を学んだ。
3. 現代的な技術を使った。
4. 廃材を再利用した。

解説 最終文の waste materials such as old bicycle parts が選択肢 **4** と一致する。

No.3 TR-34

正解 **3**

放送文

In Australian Aboriginal cultures, body decoration such as face painting has been carried out for thousands of years. It has not only artistic but also spiritual meanings. Aboriginal people have decorated their bodies with various kinds of colors, feathers and ornaments for religious ceremonies.

Question: What is one thing we learn about Aboriginal people?

放送文 訳

オーストラリアのアボリジニーの文化では，何千年もの間，フェイスペインティングのような体を装飾する行為が行われてきた。そのような行為には芸術的な意味だけでなく，宗教的な意味もある。アボリジニーは宗教的な儀式のために，さまざまな色や羽や飾りを用いて自分の体を装飾してきた。

質問：アボリジニーについて分かることの一つは何ですか。

選択肢訳 **1**. 芸術活動に関心を抱いてきた。 **2**. 毎年，宗教的な儀式を行う。
3. 体を装飾する行為は彼らの精神生活と関係している。
4. 体を装飾する行為は彼らにとって単なる芸術行為にすぎない。

解説 第２文の spiritual meanings，最終文の for religious ceremonies などから，それらが精神生活と関係していることが分かる。

No.4 TR-35

放送文

Bungee jumping is a thrilling sport in which people jump from high places with a rope tied around them. It originated in a small village on an island in the Pacific Ocean. The villagers did a kind of bungee jumping when they became adults. They were expected to show the courage adults should have.

Question: What is one thing we learn about bungee jumping?

放送文 訳

バンジージャンプはロープを体にくくりつけて高いところからジャンプする，スリル満点のスポーツである。それは太平洋のある島の小さな村で生まれた。その村の人々は大人になるとバンジージャンプのようなことをした。彼らは，大人が持つ勇気が自分たちに備わっているのだと証明することを求められた。

質問：バンジージャンプについて分かることの一つは何ですか。

選択肢訳 **1**. 成人したことを示す手段として始まった。 **2**. けがをする危険性が高い。
3. とくに小さな村で人気がある。 **4**. 危険なので避ける人もいる。

解説 ２文目以降にバンジージャンプの起源が示されている。show the courage adults should have を showing you are an adult と言い換えている選択肢 **1** が正解。

Part 5 リスニング・文の内容一致選択

テーマ 4 アナウンス

学習日	解答時間	得点
/	1問 10秒	/4 合格点3点

英文を聞き，その質問に対して最も適切なものを 1，2，3，4 の中から一つ選びなさい。

No.1 TR 36

1. The mall meets a wide variety of needs.
2. The mall is not suitable for children.
3. Visitors can get a map at the information desk.
4. Visitors spend almost all of their time shopping.

No.2 TR 37

1. The store was destroyed in the typhoon.
2. The weather report turned out to be wrong.
3. Opening hours will be changed.
4. Customers cannot pay at the register.

No.3

1. New measuring instruments will arrive.
2. A workshop for instructors will be held.
3. The fitness club will be open to the public.
4. People will be able to have a free checkup.

No.4

1. Board another plane for Paris immediately.
2. Clear the snow outside the airport.
3. Stay overnight in the airport.
4. Go to the gate for gift coupons.

Point!

店や学校などの施設，駅・空港や車内などのアナウンス問題。
冒頭の呼びかけから，だれが対象の放送なのかを聞き取る！

解答と解説

No.1 TR-36

放送文

Attention, passengers. Today we're going to visit one of the world's largest shopping malls. It has more than 1,000 shops. Even if you aren't interested in shopping, the 140 restaurants and cafés will surely make you happy. Also, you can enjoy movies, swimming, skating and amusement games in the mall. I'll give each of you a map.

Question: What does the speaker say?

放送文 訳

正解 1

ご乗客の皆様にご案内申し上げます。本日は世界最大級のショッピングモールの一つに行きます。そのモールには1000を超える店舗が入っています。たとえお買い物に興味がなくても，140店舗あるレストランとカフェがきっとあなたを満足させてくれるでしょう。また，モール内で映画，水泳，スケート，ゲームを楽しめます。それでは，皆さんに地図をお渡しします。

質問：この話者は何と言っていますか。

選択肢訳 **1. モールはさまざまな需要に応える。　2. モールは子ども向きでない。**
3. 受付で地図をもらえる。　4. 客はほとんどの時間を買い物に費やす。

解説 第4文「買い物に興味がなくても……」から始まり，第4，5文で買い物以外にショッピングモール内でできることが列挙されている。選択肢**1**が正解。

No.2 TR-37

放送文

Thank you for shopping at Austin Shoes. According to the latest weather reports, a typhoon is coming. Because of that, we will be closing one hour earliy today. I am sorry for any inconveniences. In 30 minutes, we will be closing, so please bring your final purchases to the nearest register.

Question: Why does the speaker apologize?

放送文 訳

正解 3

オースティン靴店をご利用くださり，ありがとうございます。最新の天気予報によれば，台風が近づいております。そのため，本日は通常より1時間早く閉店させていただきます。皆様にご不便をおかけすることをお詫びいたします。ただ今より30分後に閉店いたしますので，ご購入いただく商品を最寄りのレジまでお持ちください。

質問：話者はなぜ謝罪しているのですか。

選択肢訳 **1. 店が台風で破壊された。　2. 天気予報が外れた。**
3. 営業時間が変更される。　4. 客はレジで支払いができない。

解説 第3文の「1時間早く閉店する」を営業時間の変更と言い換えている。

No.3 TR-38

放送文

Attention, members. Thank you for using Phoenix Fitness Club. Next Friday, we will be offering a free physical checkup including a measurement of your body fat. A high body fat level increases the risk of metabolic syndrome. We would like you to use this opportunity to raise your awareness of health issues.

Question: What will happen at the fitness club next Friday?

放送文 訳

正解 4

会員の皆様にご案内申し上げます。フェニックス・フィットネスクラブをご利用くださり，ありがとうございます。次の金曜日，体脂肪の測定を含む無料の健康診断を行います。高い体脂肪率はメタボリック症候群となる危険性を高めます。会員の皆様にはこの機会を利用して健康に対する意識を高めていただきたいと思っております。

質問：次の金曜日，フィットネスクラブではどのようなことが起こりますか。

選択肢訳 **1**. 新しい測定器具が届く。 **2**. インストラクター向け講習会が行われる。
3. クラブが一般公開される。 **4**. 無料で健康診断を受けられる。

解説 施設内での会員に向けたアナウンス。選択肢 **4** が第３文の内容と一致し，以降も健康診断についての説明が続いている。

No.4 TR-39

放送文

Attention, passengers of Flight 135 bound for Paris. The flight has been delayed due to heavy snowfall. As of now, the estimated time of departure is still unknown. We apologize for any inconveniences. If you are a passenger on Flight 135, please come to Gate 8A. We will hand out gift certificates.

Question: What should people taking Flight 135 do?

放送文 訳

正解 4

パリ行き 135 便にご搭乗されるお客様に申し上げます。この便は大雪のため遅れております。現在，出発予定時刻は未定でございます。ご迷惑をおかけして大変申し訳ございません。135 便のお客様は 8A のゲートまでお越しください。空港内でご利用できる商品券を差し上げます。

質問：135 便に乗る人たちは何をすべきですか。

選択肢訳 **1**. すぐにパリ行きの別の飛行機に乗る。 **2**. 空港の外で雪かきをする。
3. 空港内で一晩過ごす。 **4**. 商品券をもらいにゲートへ行く。

解説 135便の乗客がすべきことを述べているのは第５文。８Aゲートに行くのは商品券を受け取るためなので，選択肢 **4** が正解。

Part 5 リスニング・文の内容一致選択

テーマ 5 スピーチ・オリエンテーション

学習日	解答時間	得点
/	1問 10秒	/4 合格点3点

英文を聞き，その質問に対して最も適切なものを 1，2，3，4 の中から一つ選びなさい。

No.1 TR 40

1. Talk about where to go on a school trip.
2. Learn about how to write.
3. Have a discussion about good note taking.
4. Prepare a birthday present.

No.2 TR 41

1. Study the history of Italian cooking.
2. Start cooking in groups.
3. Learn about cooking equipment.
4. Listen to a lecture on vegetables.

No.3 TR 42

1. She is an American movie director.
2. She is a world-famous scientist.
3. She is the chief editor of a magazine.
4. She is not interested in future energy supplies.

No.4 TR 43

1. Working with other actresses.
2. Leading the film as the director.
3. Having a lot of dialogues with Ava.
4. Acting without using any words.

イベントのあいさつや学校の授業に関する説明などを題材にした問題。選択肢から，会話の話題や場面を予想しておこう！

解答と解説

No.1 TR-40

正解 2

放送文

Good morning, students. Today's lesson is about good writing. First, I would like you to write about last year's school trip. Then, you are going to give a presentation in front of the class. Lastly, I will give you some advice on your writing before you rewrite it, so make sure to take notes.

Question: What is one thing students will do in today's lesson?

放送文 訳

おはようございます，皆さん。今日の授業では上手な文章の書き方について学びます。まず，去年の修学旅行について文章を書いてもらいます。次に，クラスの皆さんの前で発表していただきます。最後に，あなた方が書いた文章について私からアドバイスをしたあと，書き直しをしていただきます。しっかりメモを取るようにしてください。

質問：今日の授業で生徒たちがすることの一つは何ですか。

選択肢訳 1. 修学旅行で行く場所を話し合う。　2. 文章の書き方について学ぶ。
3. よいノートの取り方を話し合う。　4. 誕生日プレゼントを準備する。

解説 授業内容に関する説明。第２文の内容を言い換えた選択肢 **2** が正解。

No.2 TR-41

正解 2

放送文

Welcome to Denver Cooking School. In today's class, I'll start by telling you what cooking equipment is needed for cooking Italian food. I'll also show you how to select fresh vegetables. Then, you will be divided into three groups to cook together after my cooking demonstration.

Question: What will students do after the cooking demonstration?

放送文 訳

デンバー料理学校へようこそ。今日のレッスンでは，まずイタリア料理を作るために必要な調理器具について教えます。また，新鮮な野菜の選び方もお伝えします。それから，私が調理の実演をしますので，その後，皆さんには３つのグループに分かれていっしょに調理をしていただきます。

質問：調理の実演が終わったあと，受講生は何をしますか。

選択肢訳 1. イタリア料理の歴史を学ぶ。　2. グループに分かれて調理を始める。
3. 調理器具について学ぶ。　4. 野菜に関する講義を聞く。

解説 最終文に，受講生がすることが述べられている。選択肢 **2** が正解。

No.3 TR-42

放送文

Good morning and welcome to an annual public debate on environmental problems. Today we have a special guest, Katie Simon. She is the chief editor of the world-famous science magazine "World Scientific Journal." We'll start by watching a movie on future energy supplies. Then, she will be on stage for a question-and-answer session.

Question: What is one thing we learn about Katie Simon?

放送文 訳

正解 3

おはようございます。環境問題に関する年次公開討論会にようこそお越しくださいました。本日は特別ゲスト，ケイティ・サイモンさんをお招きしています。彼女は『ワールド・サイエンティフィック・ジャーナル』という世界的に有名な科学雑誌の編集長です。まず未来のエネルギー供給についての映画を見たあと，質疑応答のセッションのために彼女にご登場いただきます。

質問：ケイティ・サイモンについて分かることの一つは何ですか。

選択肢訳 **1. アメリカの映画監督である。** **2. 世界的に有名な科学者である。** **3. 雑誌の編集長である。** **4. 未来のエネルギー供給について関心がない。**

解説 ゲストのケイティの紹介は第２，３文。the chief editor は「編集長」という意味。

No.4 TR-43

放送文

Thank you very much for the award for the Best Actress. I want to thank everybody and especially the film director Ava. The film had many scenes without dialogue. So I had a lot of trouble changing the expression on my face according to the scene. I want people around the world to see the great film. Thank you.

Question: What did the woman have trouble doing?

放送文 訳

最優秀女優賞をありがとうございます。皆さんに，そして特に監督のアバにお礼を言いたいと思います。この映画はセリフのない場面がたくさんありました。そのため，場面に応じて顔の表情を変えるのに非常に苦労しました。世界中の人にこのすばらしい映画を見ていただきたいと思っています。ありがとうございます。

質問：女性は何をするのに苦労しましたか。

選択肢訳 **1. ほかの女優と働く。** **2. 監督として映画をリードする。** **3. アバと対話をたくさん行う。** **4. 言葉を使わずに演じる。**

解説 第４文 So I had a lot of trouble ... の前後に注目する。第３文から，表情を変えるのに苦労したのは，セリフのない場面を演じるためだと分かる。

第 2 章

模擬試験

2級模擬試験　筆記問題

学習日	解答時間	正解数
／	85 分	問 33問中

※問題形式などは変わる場合があります。

1 次の(1)から(17)までの(　　)に入れるのに最も適切なものを1，2，3，4の中から一つ選びなさい。

(1) A: Mike always speaks ill of others, doesn't he?
B: Yes, I know. He will lose all of his friends unless he (　　) that.
1 constructs　**2** imitates　**3** achieves　**4** quits

(2) Keiko was deeply (　　) by what Yuta said. She was so sad that she couldn't sleep all night.
1 tempted　**2** hurt　**3** scanned　**4** permitted

(3) His speech was so difficult that we could (　　) understand it.
1 hardly　**2** efficiently　**3** properly　**4** frequently

(4) The new solar power plant was built to (　　) energy to the region. The locals expected that they could get enough energy.
1 rattle　**2** predict　**3** supply　**4** expose

(5) Erica's presentation at the meeting was given (　　) from her co-workers. The president decided that she would be his secretary.
1 resources　**2** function　**3** admiration　**4** situation

(6) Ken wanted to go to Australia to study the language and culture. But the (　　) didn't allow him to go.

1 circumstances　　**2** stretch
3 purchase　　**4** feature

(7) An elderly woman was carrying a heavy (　　) on her back. Immediately after Ryota saw her, he offered his help.

1 reward　　**2** load　　**3** tide　　**4** comment

(8) Tim was successful at work and made a great fortune. But he had no idea to (　　) his property to his sons.

1 inhabit　　**2** abuse　　**3** consume　　**4** distribute

(9) **A**: Reiko has a strong (　　) to learn, doesn't she?
B: Absolutely. I heard that she studies 12 hours a day.

1 poverty　　**2** shell　　**3** desire　　**4** habitat

(10) **A**: Lester, have you worked (　　) a good plan to go to Taiwan?
B: I'm sorry I haven't. My job has prevented me from doing it.

1 in　　**2** under　　**3** against　　**4** out

(11) **A**: How is your father, Yoko?
B: He is in (　　) condition. He has been in the intensive care unit for a week.

1 artificial　　**2** critical　　**3** mental　　**4** brief

(12) Sachiko is ( ) her baby. She wakes happily several times every night to give her baby milk.

1 devoted to **2** independent of
3 sure of **4** correspondent with

(13) **A**: Hi, Ron. How is your new boss?
B: He is terrible. He does ( ) but surf the Internet. It will not be long before he is fired.

1 something **2** nothing **3** anything **4** everything

(14) Generally ( ), the West Coast is more popular than the East Coast among the Japanese. For it costs less to go to the West Coast from Japan.

1 scanning **2** settling **3** speaking **4** striking

(15) Brad likes to study Japanese. But he doesn't know lots of Japanese words yet, so he often has to ( ) new words in the dictionary.

1 deal with **2** keep away **3** look up **4** carry out

(16) Two hours into the meeting, Dennis ( ) a good idea. Thanks to him, we could finish it and went home.

1 ran out of **2** made up for
3 came up with **4** took part in

(17) **A**: Hi, Aiko. It's so hot today, isn't it? I'm (　　) this heat in Japan.
B: So am I, Fred. I wish we could afford to get out town and go to a resort.

1 peculiar to　　**2** engaged in
3 convinced of　　**4** sick of

次の英文 [A], [B] を読み, その文意にそって (18) から (23) までの(　)に入れるのに最も適切なものを 1, 2, 3, 4 の中から一つ選びなさい。

2 [A]

Medical Tourism Industry

In many Western countries, medical costs are rising, leading to more and more people traveling to another country providing medical services at affordable rates. For instance, some cost-conscious people in U.S. visit Costa Rica, which is five or six hours by plane from most U.S. airports, and have cosmetic surgery such as a face-lift or breast implants at half the cost. The practice is called "medical tourism."

Popular medical tourism destinations include Mexico, Costa Rica, Brazil, India, Thailand and South Korea. Taking India for example, India has grown into one of the world's most important destinations for medical travelers (**18**) the availability of well-trained doctors and nurses, and state-of-the-art hospitals and medical facilities at a much lower cost.

Although medical tourism has had a positive economic impact on many countries which have actively attracted medical tourists, it has caused many (**19**). For example, assisted suicide, in which a medical professional provides someone who has a desire to commit suicide with drugs or other necessary equipment to end his or her life, is illegal in many countries, but legal in some countries including Switzerland. So, many people travel to Switzerland to receive help in ending their lives.

The medical tourism industry has enabled many people to receive diverse and high-quality medical services, but we must keep in mind the fact that there are many poor people in those destination countries who die without receiving adequate medical treatment because of the focus on (**20**) patients.

(18) **1** in spite of
2 because of
3 according to
4 in place of

(19) **1** certain technical symptoms
2 subtle criminal results
3 difficult ethical problems
4 temporary economic crises

(20) **1** wealthy foreign
2 poor elderly
3 senior disabled
4 rich nervous

2 [B]

Can't Stop Eating

You know that potato chips are bad for your health, but you probably feel that it is difficult to stop eating them once you have started to eat. Why do we eat a whole bag of potato chips with the knowledge that they are harmful to our health? The answer lies not in your lack of self-control but in the ingredients contained in potato chips.

Potato chips contain a large quantity of fat,* salt and sugar. The three ingredients are called "three killers" because they are not only bad for your health, but also (**21**) to potato chips. So, to know more about the "three killers," we need to see how potato chips are made.

Firstly, raw potatoes are cut into thin slices and deep fried until crisp in oil and fat. Large quantities of fat are high in calories and give you a very pleasant sensation in your mouth, which (**22**) for more potato chips. Then, instead of standard salt, a particular kind of salt is poured over the deep-fried chips in large quantities, which causes a strong desire to eat more and more of the potato chips.

Although potato chips have the image of a salty food, they (**23**) sugar. This means that the starch* contained in potatoes is converted to glucose in our body, which is one of several kinds of sugars that enter the bloodstream at a much quicker speed than other kinds of sugar, leading to weight gain. In order to protect yourself, you should only enjoy eating potato chips sometimes.

*fat：油脂
*starch：でんぷん

(21)
1 let you go
2 make you addicted
3 have them stolen
4 get them alert

(22)
1 makes an effort
2 increases your appetite
3 causes some dislikes
4 has no imagination

(23)
1 relieve some
2 satisfy any
3 contain a lot of
4 eliminate no

次の英文 [A], [B] の内容に関して, (24) から (31) までの質問に対して最も適切なもの, または文を完成させるのに最も適切なものを 1, 2, 3, 4 の中から一つ選びなさい。

3 [A]

From: Kate Evans 〈k-evans@starmail.com〉
To: Peter Tully 〈storemanager@comfortshoes.com〉
Date：April 7
Subject：Defective shoes

Dear Mr. Tully,

I ordered a pair of red high heel shoes from your website on March 25, but I received a black pair at the end of March. I contacted your customer service representative to explain the situation. I was told to use a return shipping label enclosed in my parcel and return the shoes, but the label was not enclosed.

I had to get the black shoes replaced with the red ones as soon as possible because I wanted to wear the red ones for a party on April 2. So, I decided to travel an hour by train to your store on April 1. A clerk in the store responded to me in a polite way and I received what I wanted. I couldn't wait until the party, so I headed for home with the red high heels on. Within fifteen minutes of wearing them, the heel broke off the right shoe, which caused me to lose balance and fall down. I was very embarrassed because it happened on a crowded street.

Rushing back to the store to ask about an exchange, I was told by the clerk that red high heel shoes were sold out. Eventually, I had my shoes repaired for free, but it took a few days to finish the repair. So, I wasn't able to attend the party wearing the red shoes. I was very disappointed in the quality of your shoes. I regret to say that you sell defective products at a high price. I would like to suggest that you provide better products and services to meet your customers' needs. Anyway, I will never buy your products again.

Sincerely,
Kate Evans

(24) What is one thing that happened to Kate Evans on April 1?

1 What she received was too big for her.
2 The heel of her shoes broke on her way to the party.
3 A lot of people on the street laughed at her.
4 She fell down because of a broken heel.

(25) What did Kate Evans want the clerk to do?

1 Exchange her damaged shoes with new ones.
2 Repair her black shoes in time for a party.
3 Tell the store manager about her problem.
4 Choose a pair of shoes to meet her needs.

(26) Why is Kate Evans contacting Mr. Tully?

1 A customer service staff advised her to contact him.
2 A clerk in his store sent a letter of apology to her.
3 She wants to complain about his products.
4 He responded to her in a very polite way.

3 [B]

The importance of gestures in learning

According to an experiment carried out by Susan Wagner Cook, an assistant professor of psychology at the University of Iowa, teachers' use of gestures helps children recall what they have learned in school. In the experiment, early elementary school children were given math problems like $4 + 3 = \_\_\_\_ + 6$. This is a math problem that requires them to make both sides of the equation* equal. In the experiment, none of them had solved this type of math problem before.

First, the children were divided into three groups. In the first group, an instructor explained how to solve the problem using only words, and then asked the children to repeat her explanation. In the second group, the instructor put her left hand under the left side of the equation, and then put her right hand under the right side of it in order to help the children understand that both sides are equal. After that, the children were asked to repeat these gestures. In the third group, the instructor used not only words but also gestures while explaining, and then asked the children to repeat her words and gestures.

Second, each child in each group was given the same type of math problems and told to solve them. The result was that the children in all three groups performed better. But this is where the experiment gets interesting: in the final stage of the experiment, the same type of math problems were given to the children four weeks later, in which the children who had learned through gestures (those in the second and third group) did better than those in the first group.

Why did learning through gestures improve their learning ability? Susan explained that the gestures helped the children understand the concept of an equation. On the other hand, the children who had been taught with only words focused on the numbers of the equation, not the concept of it. As a result, when they were given new numbers, some of them were not able to solve them. The findings of Susan's experiment should be good news for parents whose child is not good at math and teachers who are looking for a better way to teach math.

*equation：等式

(27) Susan Wagner Cook
1 carried out an experiment as an expert on child psychology.
2 had difficulty recalling what she learned in school.
3 gave the children some math problems they had solved before.
4 conducted an experiment to find out the effect of gestures on learning.

(28) How did Susan Wagner Cook do the experiment?
1 By dividing the problems into three groups according to the level of difficulty.
2 By preparing three different kinds of teaching methods.
3 By making the children think of how to solve the problems on their own.
4 By giving the children an opportunity to talk about their difficulties in math.

(29) What happened when the children were retested four weeks later?
1 All of them performed better than last time.
2 None of them was able to solve the math problems.
3 Those in the first group performed more poorly than those in the other groups.
4 The children in the second and third group did as well as those in the first group.

(30) What is one reason gestures improved children's learning ability?
1 Gestures promoted a better understanding of the math problems.
2 Gestures enabled the children to focus on solving the problems.
3 Gestures prevented the children from making mistakes.
4 Gestures caused the children to feel like trying.

(31) Which of the following statements is true?
1 The children solved all of the math problems easily.
2 Gestures have a significant effect on learning.
3 Learning through gestures is useful only for children.
4 Using only words in math classes must be avoided.

4

- 以下の英文を読んで，その内容を英語で要約し，解答欄に記入しなさい。
- 語数の目安は 45 語 ～ 55 語です。
- 解答欄の外に書かれたものは採点されません。
- 解答が英文の要約になっていないと判断された場合は，0 点と採点されることがあります。英文をよく読んでから答えてください。

In case it rains, some buildings collect rainwater and others do not. These days, a lot of buildings have begun to use collected rainwater in various ways. What are the reasons for this?

Some people think that collecting rainwater helps to save both water and money. Tap water is not for free, so the owners or companies in the buildings can save the cost of water when they use water collected from rain for flushing toilets, giving water to plants, or cleaning the buildings. And other people say that it is a good idea for the environment because it reduces the need for treated water. Because of these, many buildings are beginning to adopt rainwater collection systems.

On the other hand, some worry about the cleanliness of collected rainwater. It can be a problem if the water is not properly filtered. Some people also think that setting up a rainwater collection system would be expensive. As a result, using water collected from rain has both advantages and disadvantages.

5

- 以下の TOPIC について，あなたの意見とその理由を 2 つ書きなさい。
- POINTS は理由を書く際の参考となる観点を示したものです。ただしこれら以外の観点から理由を書いてもかまいません。
- 語数の目安は 80 語 ～ 100 語です。
- 解答欄の外に書かれたものは採点されません。
- 解答が TOPIC に示された問いの答えになっていない場合や，TOPIC からずれていると判断された場合は，0 点と採点されることがあります。TOPIC の内容をよく読んでから答えてください。

TOPIC
These days, many foreign people are learning the Japanese language. Do you think more foreign people will learn it in the future?

POINTS
- Culture
- Business
- Hospitality

2級模擬試験 リスニング

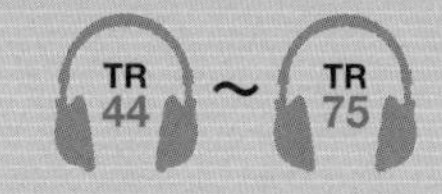

学習日	解答時間	正解数
/	約 24 分	問 30問中

※問題形式などは変わる場合があります。

①このリスニングには，第１部と第２部があります。
★英文はすべて一度しか読まれません。
第１部：対話を聞き，その質問に対して最も適切なものを１，２，３，４の中から一つ選びなさい。
第２部：英文を聞き，その質問に対して最も適切なものを１，２，３，４の中から一つ選びなさい。
② No. 30 のあと，10 秒すると試験終了の合図がありますので，筆記用具を置いてください。

第１部

No.1 TR-45

1 She forgot to go to the sale.
2 She left her bag at the store.
3 She bought too much at the sale.
4 All the sale items were sold out.

No.2 TR-46

1 Traveling by ship saves a lot of time and money.
2 It is more convenient to travel by ship.
3 Her friend recommended she travel by ship.
4 She was tired of traveling by plane.

No.3 TR-47

1 She wants to help the man move his furniture.
2 She is going to move into her new place.
3 She got a used sofa at a second-hand shop.
4 She got a new sofa from the man.

No.4 TR-48

1 He is interested in robot business.
2 Robot business has received a lot of attention recently.
3 His father told him to study computer science.
4 He doesn't want to be an architect like his father.

No.5 TR-49

1 It saves a lot of money.
2 It takes only a few hours.
3 You don't have to carry your heavy luggage.
4 You don't have to buy a ticket.

No.6 TR-50

1 The woman wanted the man to pick her up.
2 The woman does not know how to get to the restaurant.
3 The restaurant is far from the woman's house.
4 The restaurant is difficult to find.

No.7 TR-51

1 Find a book for his school paper.
2 Go to the magazine section.
3 Hand in the school paper to his teacher.
4 Enjoy talking with his friend at the café.

No.8 TR-52

1 He couldn't concentrate because of lack of sleep.
2 He is not going to make a presentation tomorrow.
3 He has asked the managers to cancel the presentation.
4 He is rarely in his office on business trips.

No.9 TR-53

1 He does not like hamburgers.
2 He has to cut down his weight.
3 He has stopped eating too much hamburgers.
4 He has gained weight.

No.10 TR-54

1 Searching for a missing person.
2 Reading the newspaper.
3 Getting dressed for going out.
4 Looking for his glasses.

No.11 TR-55

1 Go to the bag department.
2 Have her bag repaired.
3 Do shopping at the department store.
4 Get rid of the damaged bag.

No.12 TR-56

1 He works for a newspaper company.
2 He watches a news program every day.
3 He reads two newspapers before going to work.
4 He checks the latest information on his cell phone.

No.13 TR-57

1 He has had a horse-riding accident.
2 He wants to enjoy the wilderness.
3 He used to be a hiking guide.
4 He would often go hiking.

No.14 TR-58

1 Go swimming in the sea.
2 Stay at home all day long.
3 Find something exciting near her home.
4 Leave her town and go on a trip abroad.

No.15 TR-59

1 Improving cars.
2 Getting an eco-friendly car easy to drive.
3 Joining an environmental group.
4 Stopping gasoline price from rising.

第2部 TR-60 ～ 75

No.16 TR-61

1 She always had an argument with her husband.
2 She could not continue working as an instructor.
3 Her husband said he did not like what she cooked.
4 Her husband added soy sauce to all her dishes.

No.17 TR-62

1 He did not want to miss his favorite TV program.
2 He did not like driving in the rain.
3 He was busy repairing the TV.
4 He was going to pick her up.

No.18 TR-63

1 Take the vacuum cleaner home.
2 Go to a restaurant for lunch.
3 Answer the quick survey.
4 Tell what kind of gift they want.

No.19 TR-64

1 Her mother wanted Mother's Day to end.
2 Mother's Day became only a tool for making money.
3 Carnations were the flowers for her mother.
4 She could not make money by using Mother's Day.

No.20 TR-65

1 The woman came to Cathy's yoga studio.
2 The woman's dog came to Cathy at the café.
3 They were seated next to each other at the café.
4 Cathy spoke to the woman at the café.

No.21 TR-66

1 They had to park their cars.
2 They had to visit the woman in the hospital.
3 The company set up a new department.
4 The company planned a welcome party.

No.22 TR-67

1 He did not like shrimp tempura very much.
2 His favorite Japanese food was shrimp tempura.
3 He was famous as a Japanese TV personality.
4 He visited Japan more than 10 times.

No.23 TR-68

1 He felt responsible for losing the game.
2 He had to give a dinner for the team.
3 He accidentally dropped the trophy.
4 He was criticized by the coach.

No.24 TR-69

1 They spent a lot of time looking for the key.
2 They couldn't get into the car.
3 Her father left their luggage in the trunk.
4 Her father left the key in the car.

No.25 TR-70

1 He is working in a book store.
2 He is an author of a best-selling book.
3 His book has received an award.
4 His books are sold on the fourth floor.

No.26 TR-71

1 Men dressed up as the devil appear.
2 Babies get dressed in a yellow and red costume.
3 Women put their babies on the ground directly.
4 Babies are taken to a hospital.

No.27 TR-72

1 The shop owner was his wife's friend.
2 The shop owner was kind to him.
3 The shop has a wide variety of flowers.
4 The shop is near his house.

No.28 TR-73

1 It is the most popular story in Paris.
2 It is based on a true story.
3 The story is the same all over the world.
4 The story is different from country to country.

No.29 TR-74

1 The road construction is noisy.
2 A dog trainer is less likely to solve her problem.
3 She has not slept well because of a dog barking.
4 She cannot find a person to take her puppy.

No.30 TR-75

1 He won an international prize.
2 His staff already knew about the award.
3 His book of photographs was sold out.
4 A famous photographer came to his office.

筆記

1

問題	(1)	(2)	(3)	(4)	(5)	(6)	(7)	(8)	(9)	(10)
解答	4	2	1	3	3	1	2	4	3	4
問題	(11)	(12)	(13)	(14)	(15)	(16)	(17)	小計		
解答	2	1	2	3	3	3	4	/17		

2　[A]　[B]

問題	(18)	(19)	(20)	(21)	(22)	(23)	小計
解答	2	3	1	2	2	3	/6

3　[A]

問題	(24)	(25)	(26)
解答	4	1	3

[B]

問題	(27)	(28)	(29)	(30)	(31)	小計
解答	4	2	3	1	2	/8

4 解答　157 ページ参照。

5 解答　158 ページ参照。

リスニング

第1部

問題	1	2	3	4	5	6	7	8	9	10
解答	1	4	2	1	3	2	1	4	3	4
問題	11	12	13	14	15	小計				
解答	2	3	1	3	2	/15				

第2部

問題	16	17	18	19	20	21	22	23	24	25
解答	4	1	3	2	3	4	2	1	4	3
問題	26	27	28	29	30	小計				
解答	1	2	4	3	2	/15				

合計 /63

1 （問題編 p.124 ～ 127）

（1） 正解 4

訳 A：マイクはいつも人の悪口ばかりを言っているよね。
B：ああ，知ってるよ。それをやめない限り，彼は友人すべてを失うよ。

解説 (　)のあとの that は悪口を指す。speak ill of ～「～の悪口を言う」。unless「～しない限り」。**1.** construct「**建造する**」 **2.** imitate「**まねる**」 **3.** achieve「**達成する**」 **4.** quit「**やめる**」。

（2） 正解 2

訳 ケイコは，ユウタの言ったことでひどく**傷つけ**られた。彼女はとても悲しかったので，一晩中眠れなかった。

解説 ケイコが悲しかった理由としてふさわしい動詞を探す。**1.** tempt「**～する気にさせる**」 **2.** hurt「**傷つける**」 **3.** scan「**ざっと見る**」 **4.** permit「**許す**」。

（3） 正解 1

訳 彼の演説はとても難しかったので，私たちは**ほとんど**理解でき**なかった**。

解説 難しかった演説に対し，皆がどうだったのかを考える。**1.** hardly「**ほとんど～ない**」 **2.** efficiently「**効果的に**」 **3.** properly「**きちんと**」 **4.** frequently「**しばしば**」。

（4） 正解 3

訳 その新しい太陽光発電所はその地域にエネルギーを**供給する**ために作られた。地元の人々は，十分なエネルギーが得られることを期待した。

解説 太陽光発電所が作られる目的を考える。**1.** rattle「**ガタガタ鳴る**」 **2.** predict「**予言する**」 **3.** supply「**供給する**」 **4.** expose「**さらす**」。

（5） 正解 3

訳 エリカの会議での発表は同僚たちから**賞賛**を受けた。社長は彼女を自分の秘書にすることを決めた。

解説 発表に対し，同僚から得られるものとしてふさわしい名詞を探す。co-worker「同僚」。**1.** resource「**資源**」 **2.** function「**機能**」 **3.** admiration「**賞賛**」 **4.** situation「**状況**」。

(6) 正解 1

訳 ケンは言語と文化を学ぶため，オーストラリアに行きたかった。しかし**状況**が彼に行くことを許さなかった。

解説 オーストラリア行きを妨げるものを選択肢から探す。**1.** circumstance「**状況，環境**」 **2.** stretch「**広がり，範囲**」 **3.** purchase「**購入**」 **4.** feature「**特徴**」。

(7) 正解 2

訳 年配の女性が背中に重い**荷物**を背負って運んでいた。リョウタは彼女を見つけるとすぐ，彼女に手伝いを申し出た。

解説 選択肢から，背負って運べるものを探す。**1.** reward「**報酬**」 **2.** load「**積荷，荷物**」 **3.** tide「**潮，流れ**」 **4.** comment「**論評**」。

(8) 正解 4

訳 ティムは仕事で成功し莫大(ばくだい)な財産を築いた。しかし彼は息子に自分の財産を**分配**する考えはなかった。

解説 2文目が逆説の But で始まるので，莫大な財産を息子にどうするつもりがないのか考える。**1.** inhabit「**住む**」 **2.** abuse「**虐待する**」 **3.** consume「**消費する**」 **4.** distribute「**分配する**」。

(9) 正解 3

訳 **A**：レイコは勉強への強い**意欲**を持ってるよね。
B：そのとおりだ。彼女は1日12時間勉強するそうだよ。

解説 勉強に必要なものとして当てはまる名詞を選択肢から探す。**1.** poverty「**貧困**」 **2.** shell「**殻，砲弾**」 **3.** desire「**欲求，意欲**」 **4.** habitat「**生息地**」。

(10) 正解 4

訳 **A**：レスター，台湾へ行くためのいい計画は**できました**か。
B：すまない，まだなんだ。仕事が忙しくてできていないんだ。

解説 計画がどうしたことを聞いているのか，つながる前置詞を見つける。**4.** work out ～「**～を作り上げる，成し遂げる**」。

模擬試験・解答と解説 筆記問題

(11) **正解 2**

訳 **A**：お父さんの様子はどうですか，ヨウコ。
B：**危険な**状態です。１週間病院の集中治療室にいます。

解説 病院で治療中の人の状態を表せる形容詞を探す。intensive care unit「集中治療室」。**1.** artificial「**人工的な**」 **2.** critical「**危篤の，批判的な**」 **3.** mental「**精神的な**」 **4.** brief「**短い**」。

(12) **正解 1**

訳 サチコは自分の赤ちゃん**に献身的だ**。赤ちゃんにミルクを与えるために，毎晩数回いそいそと起きる。

解説 赤ちゃんの面倒をしっかり見ているサチコをどう評するのかを考える。
1. be devoted to ～「**～に献身的な**」 **2.** be independent of ～「**～から独立している**」 **3.** be sure of ～「**～を確信している**」 **4.** be correspondent with ～「**～と一致する**」。

(13) **正解 2**

訳 **A**：やあ，ロン。新しい上司はどうなの？
B：ひどいよ。**ただ**インターネットを見てる**だけ**。くびになるのも遠くないね。

解説 新しい上司は terrible「ひどい」と評されていることに注目。surf the Internet「ネットサーフィンをする」。**2.** nothing but ～「**ただ～するだけ**」 **3.** anything but ～「**～以外何でも**」。

(14) **正解 3**

訳 **一般的に言って**，日本人には東海岸よりも西海岸のほうが人気がある。なぜかというと，日本からは西海岸に行くほうが費用がかからないからだ。

解説 generally「一般的に」とつながって意味が通じる単語を選ぶ。**1.** scan「**ざっと見る**」 **2.** settle「**決める**」 **3.** generally speaking「**一般的に言うと**」 **4.** strike「**打つ**」。

(15) **正解 3**

訳 ブラッドは日本語の勉強が好きだ。しかし彼はまだあまり多くの日本語の単語を知らないので，しばしば辞書で新しい単語**を調べ**なければならない。

解説 辞書で単語をどうするか考える。**1.** deal with ～「**～を扱う**」 **2.** keep away ～「**～に近寄らない**」 **3.** look up ～「**～を調べる**」 **4.** carry out ～「**～を実行する**」。

(16) 正解 3

訳 会議が2時間になったころ，デニスはいい考え**を思いついた**。彼のおかげで我々は会議を終え帰宅することができた。

解説 デニスが「いい考え」をどうしたから会議が終わったのかを考える。**1.** run out of ～「**～を使い果たす**」 **2.** make up for ～「**～を償う**」 **3.** come up with ～「**～を思いつく**」 **4.** take part in ～「**～に参加する**」。

(17) 正解 4

訳 **A**：やあ，アイコ。今日も暑いね。日本の暑さ**にはうんざりだ**よ。
B：私もよ，フレッド。避暑にでも行く余裕があればいいんだけれど。

解説 日本の暑さをフレッドがどう感じているかを考える。**1.** be peculiar to ～「**～に特有である**」 **2.** be engaged in ～「**～に従事している**」 **3.** be convinced of ～「**～を確信している**」 **4.** be sick of ～「**～にうんざりだ**」。

 (問題編 p.128 ～ 129)

訳

メディカルツーリズム産業

西欧諸国の多くでは，医療費は高騰している。その結果，ますます多くの人が手頃な価格で医療サービスを提供している他国に赴いている。例えばアメリカに住む一部のコスト意識の高い人々は，アメリカのほとんどの空港から飛行機で5～6時間のところにあるコスタリカを訪れ，顔のしわ取りや豊胸手術などの整形手術を半額で受けている。こうした慣習は「メディカルツーリズム」と呼ばれる。

メディカルツーリズムの目的地として人気があるのは，メキシコ，コスタリカ，ブラジル，インド，タイ，韓国などだ。インドを例にとると，インドは治療を受けるために外国へ行く人々にとって世界で最も重要な目的地の一つとなったが，それは，かなり安い費用で熟練した医師や看護師，最先端の病院や医療施設を利用できるからだ。

メディカルツーリズムは治療を受けるために外国へ行く人々を積極的に呼び込んできた多くの国々に対し，経済的にいい効果をもたらしてきたが，多くの難しい倫理的な問題も引き起こしてきた。例えば，自殺ほう助――医療の専門家が自殺願望のある人に自ら命を絶つのに薬やそのほかに必要な器具を提供する――は，多くの国で違法であるが，スイスなどの一部の国では合法である。そのため，多くの人がスイスを訪れ，自ら命を絶つ手助けをしてもらっている。

メディカルツーリズム産業によって，多くの人が多岐にわたる高品質な医療サービスを受けられるようになったが，メディカルツーリズムの目的地では，裕福な海外の患者を重視するあまり，適切な医療を受けられずに亡くなってしまう多くの貧しい人々がいるという事実を忘れてはならない。

(18) 正解 2

解説 インドがメディカルツーリズムの目的地として世界的に有名になったのは，熟練した医師や最先端の病院が利用できることの「**おかげで**(because of)」となる。
1. in spite of「**にもかかわらず**」 **3.** according to「**によると**」 **4.** in place of「**の代わりに**」。

(19) 正解 3

解説 空所後の For example 以下は，自殺志願者がスイスで自殺ほう助を受けるという内容。生死と医療の関わりなので，**3.** difficult ethical problems「**難しい倫理上の問題**」が最もふさわしい。
1. certain technical symptoms「**一定の専門的な症状**」 **2.** subtle criminal results「**微**

妙な犯罪の結果」 **4.** temporary economic crises「**一時的な経済危機**」。

(20) 正解 1

解説 現地の貧しい人が医療を受けられないのは **1.** wealthy foreign「**裕福な外国の**」人が優先されるから。「現地の貧しい人」と対立する言い回しが最も適切である。
2. poor elderly「**貧しい年配の**」 **3.** senior disabled「**高齢で障害のある**」 **4.** rich nervous「**金持ちで神経質な**」。

2B (問題編 p.130 ~ 131)

食べるのをやめられない

ポテトチップスは健康に悪いと分かっているが，いったん食べ始めると食べるのをやめるのは難しいとおそらくあなたは感じているだろう。なぜ健康に悪いと知っていながら，私たちはポテトチップスを１袋すべて食べてしまうのだろうか。その答えはあなたの自制心のなさにではなく，ポテトチップスに含まれる成分にある。

ポテトチップスには油脂や塩分や糖分が大量に含まれている。この３つの成分は「３つの破壊的成分」と呼ばれている。なぜならば，それらは健康に悪いだけでなく，あなたをポテトチップス中毒にしてしまうからである。そこで，この「３つの破壊的成分」について詳しく知るために，ポテトチップスがどのようにして作られるかを見る必要がある。

最初に，生のじゃがいもが薄切りにされる。それから，そのじゃがいもを油脂でカリカリになるまで揚げる。大量の油脂はカロリーが高く，口の中に非常に心地よい感覚が生じる。それによって，もっとポテトチップスを食べたいという食欲が増すのである。それから，標準的な塩の代わりに特殊な塩が揚げたポテトチップスに大量に振りかけられる。それがポテトチップスをもっと食べたいという強い欲求を引き起こすのである。

ポテトチップスは塩味の強い食品というイメージがあるが，糖分を多く含んでいる。つまり，じゃがいもに含まれるでんぷんが私たちの体内でグルコースに変わるのだ。グルコースはほかの糖分よりずっと速いスピードで血流に入る複数種類の糖分の一つで，体重増加の原因となる。自分を守るためには，ポテトチップスを食べるのは本当にたまの楽しみにすることだ。

(21) 正解 2

解説 空所を含むbut also ... to potato chipsは，ポテトチップスの油脂や塩分によって，もっと食べたくなるという内容を表す。したがって，**2.** make you addicted「**あなたを中毒にしてしまう**」が正解。

1. let you go「**あなたを行かせる**」 **3.** have them stolen「**それらを奪われる**」 **4.** get them alert「**彼らを警戒させる**」。

(22) 正解 2

解説 空所直前では，大量の油脂によって口の中に非常に心地よい感覚が生じると述べられている。その内容と適切につながるのは**2.** increases your appetite「**あなたの食欲を増す**」である。

1. makes an effort「**努力をする**」 **3.** causes some dislikes「**いくらかの嫌悪を引き起こす**」 **4.** has no imagination「**想像力を持たない**」。

(23) 正解 3

解説 同文前半の「ポテトチップスは塩味の強い食品というイメージがあるけれども」という内容につながるには**3.** contain a lot of (sugar)「**たくさんの(糖分を)含んでいる**」。

1. relieve some ～「**いくぶん～を軽減する**」 **2.** satisfy any ～「**いかなる～も満足させる**」 **4.** eliminate no ～「**～をまったく除去しない**」。

3A （問題編 p.132 ～ 133）

訳

差出人：ケイト・エバンス〈k-evans@starmail.com〉
宛先：ピーター・タリー〈storemanager@comfortshoes.com〉
日付：4月7日
件名：欠陥品の靴

拝啓　タリー様
3月25日に貴社のウェブサイトから赤いハイヒールを1組注文しましたが，3月末に黒い靴を受け取りました。この状況を説明するためにお客様相談窓口に電話をしました。届いた荷物の中に同封された返送用ラベルを使って靴を返送するよう指示されましたが，ラベルは同封されていませんでした。
私はできるだけ早くその黒い靴を赤い靴に交換してもらう必要がありました。4月2日に行われるパーティーに赤い靴を履いて行きたかったからです。そのため，4月1日に電車で1時間かけて貴店まで行くことにしました。店員の方が丁寧に対応してくれ，私は望んでいるものを受け取りました。パーティーまで待ち切れず，その赤いハイヒールを履いて自宅に向かいました。それから15分もたたないうちに，右の靴のかかとが壊れて外れてしまい，私はバランスを崩して転びました。人混みの多い通りで起こったことなので，私はとても恥ずかしい思いをしました。
商品を交換してもらいに急いで店に戻りましたが，店員から赤いハイヒールは売り切れたと言われました。結局，無料で靴を修理してもらいましたが，修理が終わるまでに数日かかりました。そのため，赤いハイヒールでパーティーに出ることができませんでした。貴社の靴の品質には非常に失望しました。残念ながら貴社は高額で欠陥商品を販売していると言わざるを得ません。もっと顧客の需要に合う製品やサービスを提供するべきだと思います。とにかく今後，貴社製品を買うことはないでしょう。
敬具
ケイト・エバンス

(24) 正解 4

質問訳 4月1日にケイト・エバンスの身に起こったことの一つは何ですか。

選択肢訳
1 **彼女が受け取ったものは彼女には大きすぎた。**
2 **彼女の靴のヒールがパーティーに向かう途中で折れた。**
3 **通りにいた多くの人が彼女を笑った。**
4 **彼女は折れたヒールが原因で転んだ。**

解説 第2段落第5文に，the heel broke off the right shoe とある。また，直後の which caused ... fall down から，それが原因で転んだことが分かる。正解は選択肢**4**。

(25) 正解 1

質問訳 ケイト・エバンスは店員に何をしてもらいたかったのですか。

選択肢訳
1 **破損した靴を新しい靴に交換する。**
2 **パーティーに間に合うよう黒い靴を修理する。**
3 **彼女の問題を店長に伝える。**
4 **彼女の需要に合う靴を選ぶ。**

解説 第3段落第1文に，Rushing back to the store to ask about an exchange「商品を交換してもらうために，急いで店に戻った」とある。正解は選択肢**1**。

(26) 正解 3

質問訳 ケイト・エバンスがタリーさんに連絡を取っているのはなぜですか。

選択肢訳
1 **お客様相談窓口のスタッフが彼に連絡を取るよう彼女にアドバイスをしたから。**
2 **彼の店の店員が彼女に謝罪文を送ったから。**
3 **彼女は彼の店の商品について不満を言いたいから。**
4 **彼が非常に丁寧な仕方で彼女に応対したから。**

解説 第3段落第4文から，I was very disappointed in the quality of your shoes. ... never buy your products again. とある。選択肢**3**がその内容と一致する。

3B (問題編 p.134 ~ 135)

訳

学習におけるジェスチャーの重要性

アイオワ大学の心理学准教授スーザン・ワグナー・クックが行った実験によれば，教師がジェスチャーを用いると，子どもたちは学校で学んだことを思い出しやすくなるという。その実験で，小学校低学年の子どもたちは４＋３＝＿＿＋６といった算数の問題を出された。これは，等式の両側を等しくする算数の問題である。実験では，このタイプの算数の問題を解いたことがある子どもは一人もいなかった。

まず，子どもたちは３つのグループに分けられた。１つ目のグループでは，講師は言葉だけで解き方を説明し，それから子どもたちに彼女の説明を繰り返すよう求めた。２つ目のグループでは，等式の両側は等しいということを子どもが理解しやすくなるように，講師は等式の左側に左手を置き，それから等式の右側に右手を置いた。その後，子どもたちはこのジェスチャーを繰り返してみるよう指示された。３つ目のグループでは，講師は説明しながら言葉だけでなくジェスチャーも用いた。それから，子どもたちに彼女が行った説明とジェスチャーを繰り返すよう求めた。

次に，各グループの子どもたち一人ひとりに同じタイプの算数の問題が与えられ，それらを解かせた結果，３つのグループすべての子どもたちの成績はよかった。しかし，ここからこの実験がおもしろくなる。実験の最終段階で，同じタイプの算数の問題が４週間後に与えられたところ，ジェスチャーを通して学んだ(第２・第３グループの)子どもたちのほうが第１グループの子どもたちより成績がよかったのだ。

ジェスチャーを通して学ぶことで学習能力が向上したのはなぜか。スーザンの説明によれば，ジェスチャーは子どもたちが等式の概念を理解するのに役立ったということだ。一方，言葉だけで教えられた子どもたちは，等式の概念ではなく，等式で扱われている数に注目した結果，新しい数の問題を与えられたとき，一部の子どもたちは解くことができなかったのだ。スーザンの実験結果は算数が苦手な子どもを持つ親や算数のよりよい教え方を模索している教師にとって朗報のはずである。

(27) 正解 4

質問訳 スーザン・ワグナー・クックは……

選択肢訳
1 児童心理学の専門家としてある実験を行った。
2 学校で学んだことを思い出すのに苦労した。
3 子どもたちに彼らが解いたことのある算数の問題を出した。
4 ジェスチャーが学習に与える影響について調べるため実験を行った。

解説 スーザンが行った実験の結果は，第１段落第１文に teachers' use of gestures helps children recall what they have learned in school と述べられている。この文から，スーザンはジェスチャーと学習の関係を調査したことが分かる。

(28) 正解 2

質問訳 スーザン・ワグナー・クックはどのようにして実験を行いましたか。

選択肢訳 **1 難易度に応じて問題を３つのグループに分ける。**
2 ３種類の異なる教授法を用意する。
3 子どもたちに自力で問題を解く方法を考えさせる。
4 子どもたちに算数の難しさについて話し合う機会を与える。

解説 第２段落全体を参照。スーザンは子どもたちを算数の問題の解き方を言葉だけで教えるグループ，ジェスチャーだけで教えるグループ，言葉とジェスチャーを組み合わせて教えるグループに分けた。したがって，選択肢**2**が上記の内容と一致する。

(29) 正解 3

質問訳 子どもたちが４週間後に再テストを受けたとき，何が起こりましたか。

選択肢訳 **1 彼らは全員，前回よりもよい成績を収めた。**
2 彼らの中で算数の問題が解けた者は一人もいなかった。
3 第１グループの者はその他のグループの者よりも成績が悪かった。
4 第２・第３グループの子どもたちは第１グループの子どもたちと同じくらいの成績だった。

解説 第３段落最終文に in which the children who had learned through gestures (those in the second and third group) did better than those in the first group とある。

(30) 正解 1

質問訳 ジェスチャーによって子どもたちの学習能力が向上した理由の一つは何ですか。

選択肢訳 **1 ジェスチャーによって算数の問題についての理解が深まった。**
2 ジェスチャーによって子どもたちは問題を解くことに集中できた。
3 ジェスチャーによって子どもたちはミスを防ぐことができた。
4 ジェスチャーによって子どもたちはやってみたいという気持ちになった。

解説 第４段落第２文参照。the gestures helped the children understand the concept of an equation という文の内容を言い換えた選択肢**1**が正解。

(31) 正解 2

質問訳 次の記述のうち正しいものはどれですか。

選択肢訳 **1 子どもたちは算数のすべての問題を簡単に解けた。**
2 ジェスチャーは学習に対して大きな影響を与える。
3 ジェスチャーを通した学習は子どもにのみ役立つ。
4 算数の授業で言葉だけ用いることは避けなければならない。

解説 ジェスチャーを用いて算数の問題の解き方を教えられた子どもたちは，問題の概念を理解し，再テストでもよい成績を収めたという内容なので，選択肢**2**が正解。

4 （問題編 p.136）

訳

　雨が降った際に，雨水を蓄える建物とそうでない建物がある。最近では多くの建物が様々な方法で，集めた雨水を使用し始めた。この理由は何であろうか？

　人々の中には，雨水をためることが水とお金の両方の節約の助けになる，と考える人がいる。水道水はただではないので，建物の所有者や入居する会社は，トイレの水を流したり，植物に水をあげたり，あるいは建物をきれいにするのに，蓄えた雨水を使うと水道料金を節約することができる。また人々の中には，雨水の使用により浄水の必要性が減るので環境にとって良い考えである，という人もいる。こういったことにより，多くの建物が雨水集積装置を設置し始めている。

　一方で，蓄積した雨水のきれいさについて心配する人がいる。もしその水がきちんと処理されていないとすると問題だ。人々の中には雨水集積装置を設置することには多額の費用がかかる，と考える人もいる。結果として言うと，雨水を利用することには長所と短所があるのだ。

解答例

　These days, more and more buildings use collected rainwater in various ways. By doing so, they can save both water and money because they can reduce the use of tap water. However, some people worry about problems such as the cleanliness of the water and the cost of rainwater collection system.　(51 語)

解答例訳

　最近ではますます多くの建物が，集めた雨水を様々な方法で使っている。そうすることにより，水道水の使用を減らすことができるので水とお金の両方を節約できるのだ。しかしながら人々の中には，水のきれいさと雨水集積装置の費用といった問題について心配する人もいる。

補足

tap water　水道水
treated water　浄水
rainwater collection system　雨水集積装置
set up　設置する

5 （問題編 p.137）

模範解答例

意見In my view, the number of people who learn the Japanese language will increase more. The reasons are as follows. 理由①First, a lot of foreign people like the Japanese culture such as Japanese food, hospitality and animations. They would think that understanding the Japanese language is essential to deepen their knowledge.
理由②Second, many people are interested in doing business in Japan. They would think being able to speak Japanese is an advantage for them. With these reasons, more and more people would learn the Japanese language in the future. （89 語）

● 日本語訳

TOPIC

今日，多くの外国人が日本語を習っています。将来，日本語を学ぶ外国人はもっと多くなると思いますか。

模範解答例訳

私の意見では，日本語を学ぶ人の数はもっと増えると思います。その理由は以下のとおりです。1つ目は，たくさんの外国の人が和食やおもてなし，アニメといった日本文化が好きだということです。彼らは，知識を深めるために日本語を理解することは不可欠だと考えるでしょう。2つ目は，多くの人々は日本で仕事をすることに興味があるからです。彼らは，日本語を話せることは自分たちにとって有利だと考えるでしょう。こういった理由により，ますます多くの人が将来，日本語を学ぶでしょう。

第1部 (問題編 p.139 ～ 141)

No.1 正解 1

放送文

A: Ah, how careless! I forgot it's today.
B: What? What's going on today?
A: It's the last day of a 5-day super sale on children's clothing at Jenny's department store.
B: I'm afraid it's too late because it's already past the closing time, but I think you will have another chance.
Question: What is the problem?

放送文 訳

A：ああ，うっかりしていたわ！　今日だってことを忘れていたわ。
B：何？　今日は何があるの？
A：ジェニーデパートで，子ども服５日間限定セールの最終日なの。
B：残念だけど，もう手遅れだね。閉店時間を過ぎているからね。でも，またチャンスはあると思うよ。
質問：問題は何ですか。

選択肢訳
1. セールに行くのを忘れた。
2. かばんを店に置き忘れた。
3. セールで買いすぎた。
4. セール品はすべて売り切れだった。

解説 女性の２番目の発話から，女性はセール最終日であることを忘れていたことが分かる。

No.2 正解 4

放送文

A: I'm going to Japan next Friday.
B: Oh, sounds great. Have you already got an airline ticket?
A: No. I have decided to go there by ship. Though it takes a little more time, I often fly on business, so I need a change of pace.
B: Good idea. Have a good trip.
Question: Why is the woman going to travel by ship?

放送文 訳

A：今度の金曜日に私は日本に行くつもりよ。
B：へえ，いいね。飛行機のチケットはもう取ったの？
A：いいえ。船で行くことにしたわ。時間は少し余分にかかるけど，仕事でよく飛行機に乗るから気分転換したいの。
B：いい考えだね。いい旅を。
質問：女性はなぜ船で移動するのですか。

選択肢訳
1. 船で移動すると時間とお金をかなり節約できる。
2. 船で移動するほうが便利である。
3. 彼女の友人が彼女に船で移動するよう勧めた。
4. 彼女は飛行機で移動することにうんざりしていた。

解説 女性の２番目の発話，第３文を言い換えた選択肢 **4** が正解。

No.3 正解 2

TR-47

放送文

A: I'm going to take my sofa to the local second-hand shop.

B: Why? It can still be used! I'll buy that sofa.

A: If you want it, I'll give it to you. I'm going to buy a new sofa after moving to my new house.

B: Oh, that makes sense. I'll help you move your furniture.

Question: What do we learn about the woman?

放送文 訳

A：地元のリサイクルショップに私のソファーを持っていくの。

B：なぜ？　まだ使えるよ。じゃあぼくがそのソファーを買うよ。

A：欲しければ，あなたにあげるわよ。私は新居に越してから新しいソファーを買うの。

B：ああ，なるほど。家具を運ぶのを手伝うよ。

質問：女性について分かることは何ですか。

選択肢訳 **1. 男性が家具を移動させるのを手伝いたいと思っている。　2. 新居に引っ越すつもりである。　3. リサイクルショップで中古のソファーを手に入れた。　4. 男性から新しいソファーをもらった。**

解説 女性は2番目の発話でI'm going to buy a new sofa after moving to my new house. と述べているので，選択肢 **2** が正解。

No.4 正解 1

放送文

A: George, are you going to attend the university that your father graduated from?

B: Yes, but I want to study computer science, not architecture like my father.

A: That's the first I've heard of that. I've thought you wanted to be an architect.

B: I'm interested in the robot business.

Question: Why isn't the man going to study architecture?

放送文 訳

A：ジョージ，あなたはお父さんが卒業した大学に入るつもり？

B：ええ。でもぼくは，コンピューター科学を学びたいのです，父のように建築を学びたくはありません。

A：それは初耳ね。あなたは建築家になりたいのだと思っていたわ。

B：ぼくはロボットビジネスに興味があるのです。

質問：なぜ男性は建築を勉強するつもりがないのですか。

選択肢訳 **1. ロボットビジネスに興味がある。　2. 近年，ロボットビジネスは大いに注目されている。　3. 彼の父親が彼にコンピューター科学を勉強するように言った。　4. 彼は父親のような建築家になりたくない。**

解説 男性の最後の発話から，ロボットビジネスに興味があるためだと分かる。

No.5 正解 3

放送文

A: How do I get to the old castles?

B: You can go by train, but you have to change trains five times. I recommend you rent a car.

A: Rent a car? It is a little bit more expensive, isn't it?

B: That's true, but it's so hard to change trains five times for a traveler who has a lot of luggage like you.

Question: What is an advantage of renting a car?

放送文 訳

A：古城までどう行けばいいですか。

B：電車で行けますが，着くまでに５回乗り換えが必要です。レンタカーで行くのがいいですよ。

A：レンタカー？　電車で行くより少し高くつきますよね。

B：確かに。ですが，あなたのような荷物が多い旅行者には，５回の乗り換えはとても大変ですよ。

質問：自動車をレンタルする利点は何ですか。

選択肢訳
1. 費用があまりかからない。
2. 数時間しかかからない。
3. 重い荷物を運ぶ必要がない。
4. 切符を買う必要がない。

解説 男性の２番目の発話 so hard to change trains ... for a traveler who has a lot of luggage は電車の短所であり，自動車を勧める理由でもある。選択肢 **3** が正解。

No.6 正解 2

放送文

A: I've booked a table at the restaurant. Let's meet at the gate of City Hall next to the restaurant at 6 p.m.

B: I'm afraid I don't know how to get there. It's been just a few days since I came to this town.

A: OK. I'll pick you up at your station. So I'll be there at 5 o'clock.

B: Thank you.

Question: Why have they decided to change their meeting place?

放送文 訳

A：レストランの予約をしておいたよ。レストランの隣にある市役所の門で６時に待ち合わせよう。

B：残念ながら行き方が分からないわ。この町に来て数日しかたっていないのよ。

A：分かった。きみの家の最寄り駅まで車で迎えに行こう。５時に着くよ。

B：ありがとう。

質問：なぜ彼らは待ち合わせ場所を変更したのですか。

選択肢訳
1. 女性は男性に車で迎えに来てもらいたかった。
2. 女性はレストランへの行き方が分からない。
3. レストランはその女性の家から遠い。
4. レストランは見つけるのが難しい。

解説 女性はレストランへの行き方について I'm afraid I don't know と述べている。

No.7 正解 1

TR-51

放送文

A: First, I want to look in the magazine section. How about you?

B: I need to buy a history book for our school paper. I'm under a deadline.

A: Those are on the second floor. I'll go with you. After that, I'll help you finish the paper at the café.

B: Thanks. You couldn't be more helpful.

Question: What does the man have to do first?

放送文 訳

A：まず，雑誌コーナーを見たいわ。あなたは？

B：学校新聞に必要な歴史の本を買わないと。締め切りが迫っていてね。

A：歴史の本は2階よ。私も行くわ。その後，カフェであなたが学校新聞を仕上げるのを手伝うわ。

B：ありがとう。本当に助かるよ。

質問：男性は最初に何をする必要がありますか。

選択肢訳
1. 学校新聞に必要な本を探す。
2. 雑誌コーナーに行く。
3. 先生に学校新聞を提出する。
4. カフェで友人とおしゃべりを楽しむ。

解説 男性の最初の発話 I need to ... が答え。選択肢 **3** は学校新聞を仕上げたあとにすること。

No.8 正解 4

放送文

A: Are you ready for your presentation tomorrow, Adam?

B: Not yet. I get really nervous every time I make a presentation.

A: Yeah, I completely agree with you.

B: I'm often away from the office on business trips, so I don't have enough time to gather materials.

Question: Why hasn't the man gotten ready for the presentation?

放送文 訳

A：アダム，明日のプレゼンテーションの準備はした？

B：まだだよ。プレゼンテーションをするたびにとても緊張するよ。

A：ええ，まったく同感だわ。

B：出張であまりオフィスにいないから，資料集めの時間がないんだ。

質問：なぜ男性はプレゼンテーションの準備をしていないのですか。

選択肢訳
1. 彼は睡眠不足のため集中できなかった。
2. 彼は明日のプレゼンテーションを行うつもりはない。
3. 彼は部長たちにプレゼンテーションを中止するよう頼んでいた。
4. 彼は出張でめったにオフィスにいることはない。

解説 男性の2番目の発話から，「出張で時間がない」ことが理由と分かる。

No.9 正解 3

放送文

A: Kate, your cheeseburger looks delicious. I'm jealous!

B: Why didn't you order a burger? It's your favorite one, isn't it?

A: Yes, but I've decided to cut down on them. The doctor said fast-foods have a high risk of causing heart problems.

B: I see. I'll also have to be more careful of my health.

Question: What is one thing the man says?

放送文 訳

A：ケイト，きみのチーズバーガー，おいしそうだね。うらやましいよ！

B：どうしてハンバーガーを頼まなかったの？ 大好物よね？

A：ああ，でも控えることにしたんだ。ファストフードは心臓の病気を引き起こす危険性が高いと医者から聞いて。

B：なるほど。私ももっと自分の健康に注意しないとね。

質問：男性が言っていることの一つは何ですか。

選択肢訳 **1**. 彼はハンバーガーが好きではない。 **2**. 彼は体重を落とす必要がある。
3. 彼はハンバーガーを食べすぎるのをやめた。 **4**. 彼は体重が増えた。

解説 男性の２番目の発話 cut down on ... を has stopped eating too much ... と言い換えた選択肢 **3** が正解。

No.10 正解 4

放送文

A: Do you know where I put my glasses? They are missing.

B: I'm not sure, but I saw you wearing them when you were reading the newspaper.

A: Now I remember! I put them in my briefcase.

B: Oh! Are you feeling OK? They are on your head.

Question: What is the man doing?

放送文 訳

A：ぼくが眼鏡をどこに置いたか知らない？ 見当たらないんだ。

B：はっきりとは言えないけど，あなたが新聞を読んでいるときにそれをしているのを見たわよ。

A：それで思い出したよ！ かばんの中に入れたんだ。

B：あら！ あなた，気は確か？ あなたの頭の上にあるわよ。

質問：男性は何をしていますか。

選択肢訳 **1**. 行方不明の人を捜している。 **2**. 新聞を読んでいる。
3. 外出するために着替えをしている。 **4**. 自分の眼鏡を捜している。

解説 男性の最初の発話 Do you know where I put my glasses ? から，男性が捜しているものは眼鏡だと分かる。

No.11 正解 2

放送文

A: Hello. You seem to be in trouble.

B: Yes, I'm carrying a handbag today, but the handle has broken. So I'm looking for the bag department to buy a new bag.

A: There is a bag repair shop on the fifth floor. I would recommend you have the broken handle repaired there.

B: Oh, that's a good idea. Thank you.

Question: What will the woman do next?

放送文 訳

A：こんにちは。何かお困りですか。

B：ええ。今日はハンドバッグを持っているのだけど，取っ手が壊れてしまったの。だから新しいかばんを買うために，売り場を探しているの。

A：5階にかばんの修理店がございますので，そこで壊れた取っ手を修理してもらうことをお勧めします。

B：ああ，いい考えね。ありがとう。

質問：女性は次に何をするでしょうか。

選択肢訳
1. かばん売り場に行く。
2. かばんを修理してもらう。
3. デパートで買い物をする。
4. 破損したかばんを処分する。

解説 女性は男性の勧め have the broken handle repaired に賛成しているので，かばん修理店に向かうと考えられる。

No.12 正解 3

放送文

A: Bob, do you have any favorite news program on TV?

B: No, nothing special, Mary. But I read two newspapers before going to work. How about you?

A: I don't read the newspaper, but I check the latest news on my cell phone every day.

B: That's good. We can read many popular newspapers on the mobile.

Question: What is one thing we learn about the man?

放送文 訳

A：ボブ，お気に入りのテレビのニュース番組はある？

B：とくにないよ，メアリー。でも，仕事に行く前に新聞を2種類読んでいるよ。きみはどう？

A：私は新聞を読まないわ。でも，毎日，携帯電話で最新のニュースをチェックしているわ。

B：いいね。携帯電話で人気のある新聞をたくさん読めるからね。

質問：男性について分かることの一つは何ですか。

選択肢訳
1. 新聞社に勤めている。
2. 毎日ニュース番組を見る。
3. 出勤前に新聞を2紙読む。
4. 携帯電話で最新情報をチェックする。

解説 男性の最初の発話 two newspapers を含む選択肢 **3** が正解。

No.13 正解 1

放送文

A: David, why don't we try horse riding? I used to go riding in the wilderness.

B: Actually, I'm afraid of horses. A few years ago, I fell from a horse and broke my left leg.

A: Oh, I'm sorry. So how about going on a hike? You said you got a new pair of hiking boots, didn't you?

B: Yeah, leave it to me. I have all the equipment needed for hiking.

Question: Why does the man prefer to go hiking?

放送文 訳

A：デイビッド，乗馬に挑戦してみない？ 私はよく大自然の中で乗馬をしたものだわ。

B：実は，馬が怖くてね。数年前，落馬して左脚を骨折したんだ。

A：あら，ごめんなさい。じゃあ，ハイキングはどうかしら？ 新しいハイキング用のブーツを買ったって言っていたわよね？

B：ああ，ぼくに任せて。必要な道具は全部持ってるよ。

質問：なぜ男性はハイキングに行くほうがよいのですか。

選択肢訳 **1. 彼は乗馬事故にあったことがある。** **2. 彼は大自然を楽しみたい。**
3. 彼は昔ハイキングのガイドだった。 **4. 彼はよくハイキングに行っていた。**

解説 男性が乗馬よりハイキングを好む理由は，男性の最初の発言で述べられている。

No.14 正解 3

TR-58

放送文

A: Do you have any plans for this summer, Sarah?

B: No. I don't want to go faraway. We can enjoy our town.

A: That sounds OK. Tell me more.

B: Well, we can fish in the river, do badminton in the park and enjoy barbecues in our backyard.

Question: What does the woman want to do this summer?

放送文 訳

A：サラ，この夏の計画は何かある？

B：ないわ。遠いところまでは行きたくないの。町にいても楽しめるわ。

A：悪くないね。もっと教えて。

B：ええ，川で魚を釣ったり，公園でバドミントンをしたり，家の庭でバーベキューを楽しんだりできるわよ。

質問：女性は今年の夏は何をしたいと思っていますか。

選択肢訳 **1. 海に泳ぎに行く。** **2. 一日中，家にいる。**
3. 家の近くでワクワクすることを見つける。 **4. 町を出て海外旅行へ行く。**

解説 女性は最初の発話で，We can enjoy our town. と述べ，具体例として２番目の発話で魚釣りやバーベキューを挙げているので，選択肢 **3** が正解。

No.15 正解 2

TR-59

放送文

A: I'm thinking of buying a hybrid car. Gasoline prices are rising, so I want to use less gas.

B: Hybrid cars are more eco-friendly than standard cars.

A: Great. I want an eco-friendly and user-friendly car.

B: We have a wide range of cars to meet your needs. This way, please.

Question: What is the woman interested in doing?

放送文 訳

A：ハイブリッドカーを買おうと思うの。ガソリンの値段が上がっているから節約したいのよ。

B：ハイブリッドカーは一般的な車より環境に優しいですよ。

A：いいわね。私は環境に優しくて使いやすい車が欲しいわ。

B：ご要望に応える車を幅広く取り揃えております。こちらへどうぞ。

質問：女性は何に興味がありますか。

選択肢訳 **1.** 車を改良すること。　**2.** 環境に優しい運転しやすい車を買うこと。
3. 環境保護団体に入ること。　**4.** ガソリン価格の高騰を防ぐこと。

解説 女性の２番目の発話を言い換えた選択肢 **2** が正解。

第2部 (問題編 p.142 ～ 144)

No.16 正解 4

放送文

Taro and Cathy have been married for half a year. They rarely had an argument with each other, but one day Cathy got angry with Taro. He always poured soy sauce on everything she cooked. Cathy worked as an instructor at a cooking school before and she was proud of what she cooked.

Question: What problem did Cathy have?

放送文 訳

タロウとキャシーは結婚して半年になる。めったに言い争わなかったが，ある日，キャシーはタロウに腹を立てた。彼はいつもキャシーが何を料理しても，その料理にしょうゆをかけたからである。キャシーは以前料理学校で講師として働いていたため，自分の料理に対して自信を持っていたのである。

質問：キャシーにはどんな問題がありましたか。

選択肢訳
1. 彼女はいつも夫と言い争いをした。
2. 彼女は講師として働き続けることができなかった。
3. 彼女の夫は彼女の料理を好きではないと言った。
4. 彼女の夫は彼女の料理すべてにしょうゆを加えた。

解説 選択肢 **4** は He always poured soy sauce ... she cooked. の言い換え。

No.17 正解 1

🔊 放送文

Last week, Gloria called her brother to come to pick her up at the station. He said that he would not come because he wanted to watch his favorite TV program. So she had to walk home in the rain. When she went into the house, he wasn't watching TV. He said that he wasn't able to watch the show because there was something wrong with the TV.

Question: What is one thing the man told Gloria last week?

🔊 放送文 訳

先週，グロリアは兄に駅まで車で迎えに来てほしいと電話で頼んだ。彼はお気に入りのテレビ番組を見たいから迎えに行けないと言った。そのため，彼女は雨が降る中，歩いて家まで帰らなければならなかった。彼女が家に入ると，兄はテレビを見ていなかった。テレビの調子が悪いので，見られないと彼は言った。

質問：先週，男性がグロリアに伝えたことの一つは何ですか。

選択肢訳
1. 好きなテレビ番組を見逃したくない。
2. 雨の中の運転が好きではない。
3. テレビの修理で忙しい。
4. 天気がよくなれば彼女を迎えに行くつもりだ。

解説 男性の発言内容を表している第２文を言い換えた選択肢 **1** が正解。

No.18 正解 3

🔊 放送文

Thank you for coming to our seminar. First, I will show you how to work this new vacuum cleaner before you have a chance to try it out. Then we will break for lunch at 11: 30. After that, we would like you to answer a brief questionnaire to help us serve you better. Finally, we will give you a gift in return for your cooperation.

Question: What is one thing the speaker asked people to do?

🔊 放送文 訳

弊社セミナーへのご参加ありがとうございます。まず，私から新製品のこの掃除機の使い方を紹介し，その後，皆様にお試しいただきます。それから，11 時半にお昼休みとなります。その後，よりよいサービスを提供するため，皆様には簡単なアンケートにお答えいただきます。最後にご協力いただいたお礼の粗品を差し上げます。

質問：話し手が人々に行うよう頼んだことの一つは何ですか。

選択肢訳
1. 掃除機を家に持ち帰る。
2. 昼食をとるためにレストランへ行く。
3. 簡単な調査に答える。
4. どんな粗品が欲しいか伝える。

解説 セミナーの進行役は第４文で，After that, we would like you to answer a brief questionnaire ... と述べている。この内容を言い換えた選択肢 **3** が正解。

No.19 正解 2

TR-64

放送文

Anna Jarvis is famous as the founder of Mother's Day. Her mother died in May, 1905. A few years later, she held a memorial service for her mother and gave away carnations because they were her mother's favorite flowers. After that, she succeeded in making Mother's Day a holiday. But many companies started to use the holiday to make money, so she tried to end Mother's Day.

Question: Why did Anna try to end Mother's Day?

放送文 訳

アンナ・ジャービスは母の日を創設した人物として有名である。彼女の母親は1905年の5月に亡くなった。それから数年後に彼女は母親のために追悼式を行い，母親が好きなカーネーションを捧(ささ)げた。その後，彼女は母の日を休日にすることに成功した。しかし，多くの会社が母の日を利用して金儲(もう)けをしようとしたため，彼女は母の日を終わらせようとした。

質問：アンナはなぜ母の日を終わらせようとしたのですか。

選択肢訳 **1**. 彼女の母親は母の日が終わることを望んでいた。 **2**. 母の日は金を儲けるための単なる道具になった。 **3**. カーネーションは彼女の母親のための花だった。 **4**. 彼女は母の日を利用して金を儲けられなかった。

解説 最終文前半 use the holiday to make money を a tool for making money と言い換えた選択肢 **2** が正解。

No.20 正解 3

TR-65

放送文

Cathy is a yoga teacher. One day, she went into a café with her dog after her yoga classes. She was spoken to by a woman at the next table. She was also with her dog, so they enjoyed talking about dogs. Since then, the woman has been one of Cathy's best friends and one of the students in her yoga classes.

Question: How did Cathy and the woman meet each other?

放送文 訳

キャシーはヨガの先生である。ある日，彼女はヨガ教室が終わったあと，愛犬といっしょにカフェに入った。彼女は隣のテーブルに座っていた一人の女性に話しかけられた。彼女もまた愛犬といっしょだったので，犬の話題で盛り上がった。それ以来，その女性はキャシーの親友の一人であると同時に，キャシーのヨガ教室の生徒の一人である。

質問：どんな経緯でキャシーと女性は知り合ったのですか。

選択肢訳 **1**. 女性はキャシーのヨガスタジオに来た。 **2**. カフェで女性の犬がキャシーのところにやって来た。 **3**. 彼女らはカフェで隣同士の席になった。 **4**. キャシーがカフェでその女性に話しかけた。

解説 第2，3文に，カフェで隣同士の席になり，女性がキャシーに話しかけたとある。

No.21 正解 4

放送文

Attention, everyone. We would like to have a welcome party for our new staff member this evening at 6 p.m. Ms. Harrison has five years experience working as a customer service representative for one of the major software production companies. Please come to the parking lot in front of the main entrance by 5: 30 p.m. Thank you.

Question: Why were the employees asked to come to the parking lot?

放送文 訳

皆さんへお知らせです。本日夕方，午後6時に新しいスタッフのために歓迎会を開きます。ハリソンさんは大手のソフトウェア制作会社でお客様相談窓口の代表として5年働いてきました。午後5時30分までに正面玄関前の駐車場に来てください。以上です。

質問：従業員はなぜ駐車場に来るよう言われたのですか。

選択肢訳 **1**. 車を停(と)める必要があった。　**2**. 女性を見舞いに行く必要があった。
3. 会社は新しい部門を立ち上げた。　**4**. 会社は歓迎会を計画した。

解説 第2文 We ... have a welcome party for our new staff から，選択肢 **4** が正解。

No.22 正解 2

TR-67

放送文

Charlie Chaplin was a very popular English actor and filmmaker. He gained international fame in silent movies, which are movies made without sound. Though he traveled to Japan just four times in his life, he told a famous Japanese TV personality about his love for Japan. Here is a good story about his love for Japan. He ate over 30 shrimp tempura at one time.

Question: What is one thing we learn about Charlie Chaplin?

放送文 訳

チャーリー・チャップリンは非常に人気のあるイギリスの俳優で，映画製作者だった。彼は音を用いずに作る無声映画で国際的に有名になった。生涯で4回しか日本を訪れなかったが，日本の有名なテレビタレントに日本が大好きであると伝えた。ここに彼の日本好きを示す逸話がある。彼は一度にエビの天ぷらを30本以上食べたということだ。

質問：チャーリー・チャップリンについて分かることの一つは何ですか。

選択肢訳 **1**. エビの天ぷらがあまり好きではなかった。　**2**. お気に入りの日本食はエビの天ぷらだった。　**3**. 日本のテレビタレントとして有名だった。
4. 日本を10回以上訪れた。

解説 He ate over 30 shrimp tempura at one time. とあるので，選択肢 **2** が正解。

No.23 正解 1

TR-68

放送文

Andrew is on a basketball team. He led the team to the final game as a captain. In the final game, the team didn't get the trophy. He felt sorry for not being able to lead the team to a championship. Whenever Andrew remembered that the coach said he would have a party for them if they won, he felt depressed.

Question: Why did Andrew feel depressed after the final game?

放送文 訳

アンドリューはバスケットボール部に入っている。彼はキャプテンとしてチームを決勝戦まで導いた。決勝戦で，彼らはトロフィーを逃してしまった。彼はチームを優勝させることができなかったので申し訳なかった。勝ったら部員のためにパーティーを開くと言っていたコーチの言葉を思い出すたびに，彼は落ち込んだ。

質問：なぜアンドリューは決勝戦のあと，落ち込んだのですか。

選択肢訳 **1.** 試合に負けて責任を感じた。 **2.** チームに夕食をおごらなければならなかった。 **3.** 誤ってトロフィーを落とした。 **4.** コーチから非難された。

解説 「落ち込んだ(felt depressed)」理由は第4文なので，選択肢 **1** が正解。

No.24 正解 4

放送文

Every summer, Karen's family goes camping near a lake. They still can't forget what happened last summer. After enjoying camping, they were putting their luggage in the car trunk. When her father closed the trunk, he cried, "Oh, my god! I left the car key in the car!" Though all the doors were locked, they got into the car because her mother had a spare key.

Question: What happened to Karen's family last summer?

放送文 訳

毎年夏に，カレンの家族は湖の近くにキャンプをしに行く。彼らは去年の夏に起こったことをいまだに忘れられない。キャンプを楽しんだあと，彼らは車のトランクに荷物を入れていた。彼女の父親がトランクを閉めたとき，「ああっ！　車の中にかぎを置き忘れた！」と叫んだ。すべてのドアにはかぎがかかっていたのだが，母親が合かぎを持っていたので，彼らは車の中に入ることができたのである。

質問：去年の夏，カレンの家族に何が起こりましたか。

選択肢訳
1. 彼らはかぎを探すのに時間がかかった。
2. 彼らは車の中に入れなかった。
3. 彼女の父親はトランクの中に荷物を置き忘れた。
4. 彼女の父親は車の中にかぎを置き忘れた。

解説 第5文の父親の発言 I left the car key in the car! を参照。正解は選択肢 **4**。

No.25 正解 3

放送文

Thank you for visiting Peterson's Book Store today. Chris Austin, one of the 2013 Children's Book Award Winners, will be in our store at 3 p.m. today to sign copies of his new book. At 4 p.m., we will have a story-telling session for children. Mr. Austin will read his picture book to the children. We are looking forward to meeting you on the third floor. Thank you.

Question: What is one thing we learn about Chris Austin?

放送文 訳

本日はピーターソン・ブックストアへのご来店ありがとうございます。2013年度の児童文学賞の受賞者であるクリス・オースティンさんが本日の午後3時に当店にお越しになり，新刊にサインをしてくださいます。午後4時には，お子様向けの読み聞かせの会を開催します。オースティンさんがご自身の絵本を子どもたちに読んでくださいます。3階でお待ちしております。ありがとうございます。

質問：クリス・オースティンについて分かることの一つは何ですか。

選択肢訳
1. 彼は書店で働いている。
2. 彼はベストセラー作家である。
3. 彼の本は賞を受賞した。
4. 彼の本は4階で売られている。

解説 第2文の内容を言い換えた選択肢 **3** が正解。

No.26 正解 1

TR-71

放送文

A baby jumping festival held in a small Spanish town is said to be the world's most dangerous event for babies. First, parents put their babies on a mattress in the street, and then men dressed in a yellow and red costumes representing the devil jump over the babies. The festival is held to protect babies from illness and evil spirits.

Question: What is one thing that happens during the festival?

放送文 訳

スペインの小さな村で行われる赤ん坊をまたぐ祭りは，赤ん坊にとって世界で最も危険な行事だと言われる。まず，親が通りに置かれたマットレスの上に赤ん坊を置き，それから黄色と赤の衣装を着て悪魔になりきった男性たちが赤ん坊を飛び越える。祭りは病気や悪霊から赤ちゃんを守るために行われる。

質問：祭りの最中に起こることの一つは何ですか。

選択肢訳
1. 悪魔の格好をした男性が現れる。
2. 赤ん坊は黄色と赤の衣装に着替える。
3. 女性は地面に直接赤ん坊を置く。
4. 赤ん坊は病院に運ばれる。

解説 選択肢 **1** が第2文の内容（men dressed in ... the devil）と一致する。

No.27 正解 2

TR-72

放送文

One day, Tony wanted to buy some flowers for his wife's birthday, so he left the office earlier than usual. When he got to the flower shop, he found it had closed a few minutes before he arrived. He called the shop to tell the shop owner about the situation, then the owner kindly opened the door for him. Since then, he has gone to visit the shop to pick up flowers every weekend.

Question: How did Tony start going to the flower shop?

放送文 訳

ある日，トニーは妻の誕生日のために花を買いたかったので，いつもより早く会社を出た。彼が花屋に到着すると，到着する数分前に店が閉められたことが分かった。彼が花屋に電話して，その状況について店主に伝えたところ，店主は彼のために店を開けてくれた。それ以来，彼は花を買うために毎週末，その花屋に立ち寄るようになった。

質問：どのような経緯でトニーは花屋に通うようになりましたか。

選択肢訳 **1**. 店主は彼の妻の友人だった。 **2**. 店主は彼に対して親切にしてくれた。
3. その店は花の種類が豊富である。 **4**. その店は彼の家の近くにある。

解説 第 4 文の Since then, he has gone to visit the shop から，直前の第 3 文が花屋に通うようになったきっかけだと分かる。これを kind to him と表した選択肢 **2** が正解。

No.28 正解 4

放送文

Cinderella is one of the world's best-loved stories. In the story, Cinderella lost her glass slipper on her way home from the dance. You may think of Cinderella's shoes as made of glass, but there are many different versions of the Cinderella tale all over the world. A Chinese version has golden slippers instead of glass ones, and cork slippers appear in an Italian version.

Question: What is one thing that we learn about the Cinderella tale?

放送文 訳

シンデレラは世界で最も愛されている物語の一つである。話の中では，シンデレラは舞踏会から帰る途中にガラスの靴をなくす。シンデレラの靴をガラスの靴だと思っているかもしれないが，世界中にさまざまな版のシンデレラの話がある。中国版ではガラスの靴の代わりに金の靴，イタリア版ではコルクでできた靴が登場する。

質問：シンデレラの話について分かることの一つは何ですか。

選択肢訳 **1**. パリで最も人気のある話である。 **2**. 実話に基づいている。
3. その話は世界中で同じである。 **4**. その話は国によって異なる。

解説 第 3 文の there are many different versions **...** から，選択肢 **4** が正解。

No.29 正解 3

🔊 放送文

Alice has a cute puppy named Jack. Her friend gave her the puppy. She feels happy because she has wanted a puppy for a long time, but recently she has been worried about Jack's barking. Around 5: 30 a.m., Jack barks every morning. That makes her suffer from lack of sleep. She is planning to talk to a dog trainer about the problem.

Question: What problem does Alice have?

🔊 放送文 訳

アリスはジャックという名前のかわいい子犬を飼っている。彼女の友人がその子犬をくれた。彼女はずっと前から子犬が欲しかったので，喜んでいる。しかし最近，ジャックがほえるので彼女は悩んでいる。午前5時半ごろ，ジャックが毎朝ほえるのである。そのためアリスは睡眠不足に陥っている。彼女はこの問題について犬の訓練士に相談する予定だ。

質問：アリスはどんな問題をかかえていますか。

選択肢訳 **1.** 道路工事がうるさい。
2. 犬の訓練士は彼女の問題を解決してくれそうにない。
3. 彼女は犬がほえるので睡眠不足である。
4. 彼女の子犬の引き取り手が見つからない。

解説 彼女の悩みは第３～５文で説明されている。正解は選択肢**3**。

No.30 正解 2

🔊 放送文

Robert is a fashion photographer. His book of photographs has won an international prize. When he arrived at his office, he was surprised that his staff was getting ready for a little party to celebrate his winning. When he asked them about how they knew about his award-winning, one of the staff said they got the news from Robert's friend the previous night.

Question: Why was Robert surprised?

🔊 放送文 訳

ロバートはファッション関係の写真家である。彼の写真集は国際的な賞を受賞した。オフィスに到着すると，彼のスタッフが受賞祝いにささやかなパーティーの準備をしていたので彼は驚いた。どういった経緯で受賞のことを知ったのか彼らにたずねると，スタッフの一人が前の晩にロバートの友人から教えてもらったと言った。

質問：ロバートはなぜ驚いたのですか。

選択肢訳 **1.** 彼は国際的な賞を受賞した。 **2.** 彼のスタッフが賞についてすでに知っていた。 **3.** 彼の写真集は売り切れていた。 **4.** 有名な写真家がオフィスに来た。

解説 ロバートが驚いた理由は，第３文 he was surprised that ... で述べられている。

第 3 章

二次試験
面接

攻略テクニック！

二次試験　面接

POINT

※試験内容などは変わる場合があります

形　　式　受験者1名，面接委員1名の対面方式。「問題カード」を利用する

試験時間　約7分

傾　　向　採点は，パッセージを音読する「リーディング」，面接官の質問に答える「応答」，面接カードに印刷された「イラストの展開の説明」，「態度」の４項目

対　　策　ふだんから個々の単語の発音やアクセント，文の区切りに気をつけて音読しよう。また「社会・環境・語学・健康」などのさまざまな話題について，自分の意見を英語で言う練習をしておこう

試験の流れ

※面接試験はすべて英語で行われます

(1) 入室

指示に従って面接室に入ります。指示に従って面接委員に問題カードを提出し，指示されてから着席します。

(2) 氏名と受験級の確認

面接委員が氏名，受験級の確認，簡単なあいさつをするので，英語で答えます。

(3) 問題カードの受け取りと黙読・音読

面接委員から問題カードを受け取り，２０秒間黙読したあとで音読します。

(4) 質疑応答

全部で４問あり内訳は，問題カードのパッセージとイラストからそれぞれ１問，カードに関係なく，受験者の意見をたずねる問題が２問です。

(5) 問題カードの返却と退出

面接委員の指示に従って問題カードを返却し，あいさつをして退出します。

リーディング

テクニック❶ 発音・アクセント・文中の区切りを正確に！

リーディングでは，５文程度のパッセージを音読します。「発音・アクセント」を正しく読むことが必要です。１語くらいミスがあっても大丈夫ですが，同様のミスが重なると減点されることもあります。

また，文を読むときには，区切る位置に注意してください。次のような文の場合，/ の箇所が区切りになります。

Many passengers / on such airlines / purchase food / outside the airport.

１つの文中で「意味のつながる部分ごと」に間を入れて音読することが大切です。

質問への回答

テクニック❷ 質問の形式を理解し，適切に答えよう！

大切なのは，質問に対し「適切に答える」ことです。もし質問の内容が聞き取れなかったら，間を置かずに **I beg your pardon?「何とおっしゃいましたか？」**と聞き返してください。１問につき１度であれば聞き返せます。

No.3，No.4 では，さまざまな話題について，自分の意見を英語で聞かれます。質問にはパターンがあるので，覚えておきましょう。

〈例１〉電車内での若い人のマナーが悪いといわれますが，あなたはどう思いますか？
→ I agree. または I disagree. で答えたあとに，２文程度でその理由を答えます。

〈例２〉最近、電子辞書を使う人が増えていますが，今後さらに増えると思いますか？
→ Yes. または No. で答えたあとに，面接委員から Why? ／ Why not? もしくは Please tell me more. と聞かれるので，２文程度でその理由を答えます。

ふだんから「社会・環境・語学・健康」といった幅広いテーマに関心を持ち，自分の意見を英語で言う練習をしておきましょう。

文法問題

テクニック❸ 積極的にコミュニケーションをとろう！

「態度」とは**「面接室に入ってから退室するまでの積極的な態度や反応」**のことです。入室の際に，**May I come in?「入ってよろしいですか？」**と声をかけたり，面接委員ときちんと「アイコンタクト」をしたり，また余裕があれば「自然な笑顔」で応対する，といったことが大切です。「自然な態度」を心がけましょう。

例題

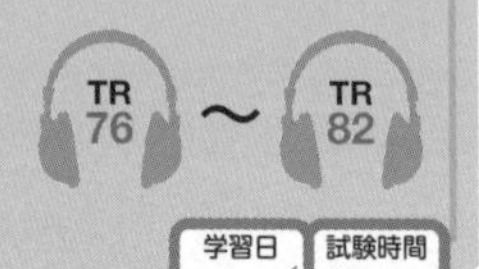

※問題形式などは変わる場合があります。

Advantages of E-books

Recently, electronic books, or e-books, have been getting popular. People download an e-book on computers or other devices, so they don't need to go to a bookstore to get books. In other words, people can save a lot of time by downloading it. Also, they don't have to carry a heavy bag full of books. All they need to carry is a small device such as an e-book reader or a smartphone. In the future, more people may read e-books.

Your story should begin with this sentence: **One day, Mr. and Mrs. Tanaka were talking about their trip abroad.**

（問題カードにはここまでが記載されています。）

質問文と訳

No. 1 According to the passage, how can people save a lot of time?

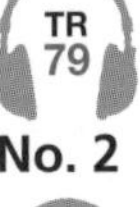

No. 2 Now, please look at the picture and describe the situation. You have 20 seconds to prepare. Your story should begin with the sentence on the card.

<20 seconds> Please begin.

Now, Mr. / Ms. ______ , please turn over the card and put it down.

No. 3 Some English teachers say paper dictionaries are better than digital dictionaries. What do you think about that?

No. 4 Some people say that we should ride a bicycle to work or school. Do you think we should go to work or school by bike instead of by car or bus?

Yes. → Why? / No. → Why not?

訳

電子書籍の利点

最近，電子書籍の人気が高まっている。人々は電子書籍をパソコンやその他の機器にダウンロードするので，本を買うのに書店に行く必要がない。言い換えれば，人々はそれをダウンロードすることで時間を節約することができる。また，本がいっぱい入った重いかばんを持ち運ばなくてもよい。電子書籍端末やスマートフォンなどの小さな機器を持ち運ぶだけでいいのだ。将来，より多くの人々が電子書籍を読むようになるかもしれない。

質問訳

No. 1　この文によると，人々はどうやって時間を節約できるのですか。

No. 2　では，絵を見てその状況を説明してください。20 秒間，準備する時間があります。話はカードに書いてある文で始めてください。
〈20 秒後〉始めてください。

では，～さん(受験者の氏名)，カードを裏返して置いてください。

No. 3　電子辞書より紙の辞書のほうがよいという英語教師がいます。あなたはそのことについてどう思いますか。

No. 4　自転車に乗って職場や学校に行くべきだと主張する人々がいます。あなたは職場や学校に，自動車やバスの代わりに自転車で行くべきだと思いますか。
→(はい／いいえ)→なぜですか。

解答と解説

No. 1 [解答例] They can save a lot of time by downloading an e-book.

訳 **電子書籍をダウンロードすることによってです。**

[解説] 第３文に関する質問。In other words, をとり，people を they に置き換えて答える。

No. 2 [解答例] **One day, Mr. and Mrs. Tanaka were talking about their trip abroad.** He said to her, "Our trip will be perfect with my e-book reader." The next day at the airport, Mrs. Tanaka was getting off the bus. Mr. Tanaka realized that he had left his e-book reader on the table at home. Later on a plane, he was disappointed. She said she would communicate with local people.

訳 **ある日，タナカさん夫妻は海外旅行について話し合っていました。彼は「ぼくの電子書籍端末があれば，完璧だよ」と言いました。翌日，空港で，奥さんはバスを降りていました。タナカさんは自宅のテーブルに電子書籍端末を置き忘れたことに気づきました。その後，飛行機の中で，彼は落ちこんでいました。奥さんは，自分が現地の人とコミュニケーションを取ろうと言いました。**

[解説] イラスト中の英語を使って文を組み立てる。１コマ目の男性の発言は，直接話法〈said to ＋人，" ～ "〉で表す。２コマ目の吹き出しは，男性が自宅のテーブルに電子書籍端末を置き忘れたことを表しているので，〈leave ＋もの＋場所〉「～に…を置き忘れる」という表現を用いて表す。３コマ目吹き出し内の，現地の人とコミュニケーションを取っている様子は，communicate with local people などで表す。

No. 3 [解答例] ①**(肯定)** I agree. When we are looking up a word in a paper dictionary, we encounter unfamiliar words. I think it helps us increase our vocabulary.

訳 **私もそう思います。紙の辞書で単語を調べているとき，私たちは知らない単語に出合います。それは私たちが語彙を増やすのに役立つと思います。**

解答例 ②(否定) I disagree. A paper dictionary is more time consuming, but a digital dictionary gives us an immediate answer. In addition, some digital dictionaries show us how to pronounce words.

訳 **私はそうは思いません。紙の辞書は時間がかかりますが，電子辞書はすぐに答えを出します。さらに，発音の仕方が分かる電子辞書もあります。**

解説 賛成意見では，知らない単語に出合うので，語彙力を増やせるなど，紙の辞書の利点を述べる。

反対意見では，電子辞書を使うと，すぐに答えが得られることや，発音の仕方を教えてくれることなどを挙げる。

No. 4 TR 82

解答例 ① Yes. → Cars and buses create air pollution by consuming fossil fuels, but bicycles are friendly to the environment.

訳 **はい。自動車やバスは化石燃料を消費することによって大気汚染を引き起こしますが，自転車は環境に優しいです。**

解答例 ② No. → Parking lots for bicycles are limited in Japan. Also, there is a high risk of getting injured if bicycle riders do not safely share the roads with car drivers.

訳 **いいえ。日本では駐輪場が限られています。また，車の運転手と安全に道路を共有しないと，けがをする危険が大いにあります。**

解説 賛成意見では，自転車がバスなどの公共の交通機関と異なり，「環境に優しい」という内容を friendly to the environment, eco-friendly, などの表現を用いて表す。運動になり，健康によいことを挙げてもよい。

反対意見では，自転車のデメリットを挙げる。「駐輪場が少ない」という内容を parking lots for bicycles are limited, we do not have enough parking space for bicycles などの表現を用いて表す。Also「また」で，事故でけがをするという理由を付け加えている。「～する危険」は risk of[for] *do*ing。

著者

有馬一朗　ありま いちろう

千葉大学卒業。大手保険会社勤務時に独学で英検1級を取得。退社後、進学塾勤務を経て独立。「小学3年生で英検準1級合格」「公立中学3年生で英語内申点3の生徒を半年の指導で英検2級に合格」「英検4級不合格直後の高3生を4か月の指導で英検準2級に合格」といった成果を上げて多くの生徒・父兄から感謝されている。
メールアドレス：info@arimax.biz
〈著書〉
『一問一答　英検® 2級 完全攻略問題集 音声DL版』『同準2級』『同3級』（高橋書店）
『英検3級に受かったら一気に2級をめざせる本』（扶桑社　大谷優平の別名）

稲垣由華　いながき ゆか

早稲田大学第一文学部卒業。TOEIC990。大手予備校で英語講師として勤務した後、大学受験参考書・高校採用専用教材・予備校の公開模試の執筆などを行う。

本書は2023年9月に発刊した書籍を、2024年度の試験リニューアルに合わせて加筆・訂正した改訂版です。

一問一答　英検®2級 完全攻略問題集 音声DL版

著　者　有馬一朗
　　　　稲垣由華
発行者　清水美成
編集者　根本真由美
発行所　**株式会社 高橋書店**
　　　　〒170-6014 東京都豊島区東池袋3-1-1 サンシャイン60 14階
　　　　電話　03-5957-7103
ISBN978-4-471-27595-2　©TAKAHASHI SHOTEN　Printed in Japan

定価はカバーに表示してあります。

本書の内容についてのご質問は「書名、質問事項（ページ、内容）、お客様のご連絡先」を明記のうえ、郵送、FAX、ホームページお問い合わせフォームから小社へお送りください。
回答にはお時間をいただく場合がございます。また、電話によるお問い合わせ、本書の内容を超えたご質問にはお答えできませんので、ご了承ください。本書に関する正誤等の情報は、小社ホームページもご参照ください。

【内容についての問い合わせ先】
書　面　〒170-6014 東京都豊島区東池袋3-1-1 サンシャイン60 14階　高橋書店編集部
ＦＡＸ　03-5957-7079
メール　小社ホームページお問い合わせフォームから（https://www.takahashishoten.co.jp/）

【不良品についての問い合わせ先】
ページの順序間違い・抜けなど物理的欠陥がございましたら、電話03-5957-7076へお問い合わせください。
ただし、古書店等で購入・入手された商品の交換には一切応じられません。

一問一答 英検® 2級 完全攻略問題集

別冊
頻出単熟語

高橋書店

矢印の方向に引くと、取り外し可能です➡

頻出単熟語

Contents

英検® 2級

頻出単語 690

☐ **abandon** 動 [əbǽndən] (見)捨てる	▶ abandoned 形 捨てられた ▶ abandonment 名 断念
☐ **absorb** 動 [æbsɔ́ːrb] 吸収する	▶ absorber 名 吸収するもの，吸収材 ▶ absorbed 形 熱中して
☐ **abuse** 名 動 [əbjúːz] 悪用(する)，虐待(する)	child abuse 児童虐待 ▶ abusive 形 口汚い，無礼な
☐ **accidentally** 副 [æksədéntəli] 偶然に，うっかり	I met her accidentally at a restaurant. 彼女と偶然レストランで会った。 ▶ accident 名 事故，偶然
☐ **accompany** 動 [əkʌ́mpəni] 同行する，伴う	▶ accompanying 形 同行の
☐ **accomplish** 動 [əkámpliʃ] 達成[遂行]する，果たす	▶ accomplished 形 成し遂げられた ▶ accomplishment 名 完成，成就
☐ **accord** 名 動 [əkɔ́ːrd] 一致(する)	▶ accordingly 副 それに応じて，それゆえに ▶ accordance 名 一致
☐ **account** 名 動 [əkáunt] 計算，口座，説明，考える	熟 account for ～ ～を説明する ▶ accountant 名 会計士
☐ **accurate** 形 [ǽkjurət] 正確な	▶ accuracy 名 正確さ ▶ accurately 副 正確に
☐ **accuse** 動 [əkjúːz] 告発する，非難する	the accused 被告人 ▶ accusation 名 告発，告訴，非難
☐ **achieve** 動 [ətʃíːv] 達成する	▶ achievement 名 達成，偉業

☐ **acquaintance** 名 [əkwéintəns] 知人，面識	▶ acquaint 動 熟知させる，知らせる
☐ **acquire** 動 [əkwáiər] 得る，習得する	▶ acquisition 名 取得(物)，買収 ▶ acquirement 名 取得，習得 ▶ acquired 形 習得した
☐ **adapt** 動 [ədǽpt] 適応[順応]させる	▶ adapter 名 アダプター ▶ adaptation 名 適応
☐ **adequate** 形 [ǽdikwət] 適当な，十分な	▶ adequacy 名 適切さ，申し分のなさ ▶ adequately 副 十分に
☐ **adjust** 動 [ədʒʌ́st] 調整する，合わせる	▶ adjustment 名 調整
☐ **admire** 動 [ædmáiər] 感嘆する，賞賛する	▶ admirable 形 賞賛すべき ▶ admiration 名 賞賛，感嘆
☐ **admit** 動 [ædmít] (入場・入学などを)認める，受け入れる	▶ admission 名 入学，入場，承認 ▶ admissible 形 容認できる，正当な
☐ **adopt** 動 [ədάpt] 採用する，養子にする	▶ adoption 名 採用，養子縁組
☐ **advance** 名 動 [ædvǽns] 前進(する)，進める	熟 in advance 前もって ▶ advanced 形 進歩した
☐ **affair** 名 [əféər] 事，事柄，事件	public affairs 公務 foreign affairs 外交問題
☐ **affect** 動 [əfékt] 影響する，感動させる，愛用する	▶ affection 名 愛情 ▶ affectionate 形 愛情のこもった
☐ **agriculture** 名 [ǽgrikʌ̀ltʃər] 農業	▶ agricultural 形 農業の

☐ **alter** 動 [ɔ́:ltər] 変える	▶ alternate 動 交互に起こる[やる] ▶ alternative 名 形 二者択一(の), 代案
☐ **altitude** 名 [ǽltətjù:d] 高さ, 高度	▶ altimeter 名 高度計
☐ **ambition** 名 [æmbíʃən] 大志, 野心	▶ ambitious 形 意欲的な, 野心的な
☐ **amuse** 動 [əmjú:z] 楽しませる	It amused me to watch the drama. その劇を観るのは楽しかった。 ▶ amusement 名 楽しみ, 気晴らし, 娯楽
☐ **analyze** 動 [ǽnəlàiz] 分析する	▶ analysis 名 分析 ▶ analyst 名 分析者
☐ **ancestor** 名 [ǽnsestər] 先祖	反 descendant 名 子孫
☐ **annoy** 動 [ənɔ́i] 悩ます, いらつかせる	▶ annoying 形 いらいらさせる
☐ **annual** 形 [ǽnjuəl] 1年の, 年1度の	▶ annually 副 毎年, 年1度
☐ **anticipate** 動 [æntísəpèit] 予期[予想]する, 楽しみに待つ	▶ anticipation 名 予想 in anticipation 前もって
☐ **anxious** 形 [ǽŋkʃəs] 心配して, 切望して	▶ anxiety 名 心配, 不安, 切望
☐ **apologize** 動 [əpálədʒàiz] 謝る, わびる	▶ apology 名 謝罪
☐ **appeal** 動 名 [əpí:l] 訴える(こと), 魅力, 懇願	▶ appealing 形 人の心を動かすような

☐ **appetite** 名 [ǽpətàit] 食欲，欲望，好み	loss of appetite　食欲不振 ▶ appetizer　名 アペタイザー（前菜，食前酒など）
☐ **apply** 動 [əplái] 申し込む(for)，適用する	▶ applicant　名 志願者，応募者 ▶ appliance　名 器具，装置 ▶ application　名 適用，応用
☐ **appointment** 名 [əpɔ́intmənt] 任命，指名，約束，アポ	I have an appointment to see him at 11. 彼と 11 時に会う約束がある。 ▶ appoint　動 任命する，指定する
☐ **appropriate** 形 動 [əpróupriət | əpróuprièit] 適した，特有の，充当する	▶ appropriation　名 充当，流用，支出
☐ **approve** 動 [əprúːv] 賛成する，認可する	▶ approval　名 承認，認可
☐ **architect** 名 [ɑ́ːrkətèkt] 建築家，設計者	▶ architecture　名 建築，建造物
☐ **argue** 動 [ɑ́ːrgjuː] 議論する，主張する	Some people argued that the earth is round. 地球は丸いと主張した人もいた。 ▶ argument　名 論争，口論
☐ **arise** 動 [əráiz] 起きる，起こる，現れる	(変化) **arise - arose - arisen**
☐ **arrest** 動 名 [ərést] 逮捕(する)	The police arrested him for murder. 警察は彼を殺人で逮捕した。 illegal arrest　違法逮捕
☐ **article** 名 [ɑ́ːrtikl] 記事，条項，品物，冠詞	▶ articulate　動 はっきり述べる
☐ **artificial** 形 [ɑ̀ːrtəfíʃəl] 人工の，不自然な	artificial intelligence　人工知能 反 natural　形 自然な
☐ **assert** 動 [əsə́ːrt] 主張する，断言する	▶ assertion　名 主張，断言 ▶ assertive　形 意見をはっきり言う

☐ **assign** 動 [əsáin] 割り当てる，命ずる	▶ assignment 名 割り当て，配属，任務
☐ **associate** 動 名 形 [əsóuʃièit] 提携する，交際する，提携(の)	associate professor　准教授 ▶ association 名 組合，協会，仲間
☐ **assume** 動 [əsjú:m] 当然と思う，仮定する	▶ assumption 名 仮定，想定 ▶ assuming 形 でしゃばりの
☐ **atmosphere** 名 [ǽtməsfìər] 雰囲気，状況，大気	類 mood 名 雰囲気
☐ **attach** 動 [ətǽtʃ] つける，書き添える	▶ attachment 名 付着，取りつけ，愛着
☐ **attempt** 名 動 [ətémpt] 試み(る)，企て(る)	▶ attempted 形 未遂の attempted murder　殺人未遂
☐ **attitude** 名 [ǽtitjù:d] 態度，判断，意見	attitude of mind　心構え
☐ **attraction** 名 [ətrǽkʃən] 魅力，アトラクション	a tourist attraction　観光名所 ▶ attractive 形 興味をそそる，魅力的な
☐ **author** 名 動 [ɔ́:θər] 作者，著者，著す	▶ authority 名 権威，権限 ▶ authorize 動 認可する ▶ authorized 形 権限を与えられた
☐ **automatic** 形 [ɔ̀:təmǽtik] 自動の，無意識の	▶ automatically 副 自動的に ▶ automate 動 自動化する
☐ **avail** 動 [əvéil] 役に立つ	▶ available 形 利用できる，仕える，暇がある ▶ availability 名 利用[入手]可能性
☐ **aware** 形 [əwέər] 気づいて，知って	▶ awareness 名 認識，意識

☐ **awful** 形 [ɔ́ːfəl] 恐ろしい，ひどい	▶ awfully 副 ひどく
☐ **background** 名 [bǽkgràund] 背景，経歴	background music　ＢＧＭ，背景音楽
☐ **ban** 動 [bǽn] 禁止する	ban *A* from *doing*　Aが～するのを禁止する
☐ **bargain** 名 動 [bɑ́ːrgən] 取引，約束，交渉する	go bargain shopping　バーゲンセールの買い物に行く bargain hunter　特売品をあさる人
☐ **basement** 名 [béismənt] 地階	▶ base 名 動 基礎，土台，～の基礎を置く
☐ **basis** 名 [béisis] 基礎，根拠，原則	▶ basic 形 名 基本的な（もの） ▶ basically 副 基本的には，要するに
☐ **behave** 動 [bihéiv] 振る舞う	behave *oneself*　行儀よくする ▶ behavior 名 振る舞い，行儀
☐ **bend** 動 [bénd] 曲げる	変化 **bend - bent - bent** bend *one's* elbow　肘を曲げる bend down　かがむ
☐ **benefit** 名 動 [bénəfit] 利益，恩恵（を与える）	for the benefit of ～　～のために ▶ beneficial 形 有利な，有益な
☐ **bet** 動 名 [bét] 賭ける，絶対～だ，賭け（金）	I bet ～.　きっと～。 You bet?　本当かい？
☐ **betray** 動 [bitréi] 裏切る，さらけ出す	betray *one's* beliefs　信念に背く ▶ betrayal 名 裏切り（行為）
☐ **bill** 名 動 [bíl] 勘定，紙幣，請求書（を送る）	gas bill　ガス料金請求書 pick up the bill　勘定を持つ

☐ **biography** 名 [baiágrəfi] 伝記	▶ autobiography 名 自伝
☐ **blame** 名 動 [bléim] 非難(する)	blame on ～　～のせいにする 反 praise 動 ほめる
☐ **blank** 名 形 [blǽŋk] 白紙(の), 空白, 空っぽの	go blank　(心が)空っぽになる ▶ blankness 名 空白, 白紙状態, 無表情
☐ **bleed** 動 [blíːd] 出血する	▶ blood 名 血(液) ▶ bleeding 名 出血
☐ **book** 動 名 [búk] 記入する, 予約する, 賭ける, 本	keep books　帳簿をつける ▶ booking 名 予約 ▶ bookkeeper 名 簿記係
☐ **border** 名 動 [bɔ́ːrdər] へり, 縁, 境界, 接する	▶ borderline 形 国境[境界]線上の
☐ **bother** 動 [báðər] 迷惑をかける, 邪魔する	bother to *do*[*do*ing]　わざわざ～する
☐ **branch** 名 [brǽntʃ] 枝, 部門, 支店, 支部	New York branch　ニューヨーク支店 *cf.* root 名 根 *cf.* trunk 名 幹
☐ **breathe** 動 [bríːð] 呼吸する	breathe fresh air　新鮮な空気を吸う ▶ breath 名 息, 呼吸, 微風
☐ **breed** 動 [bríːd] (子を)産む, 育てる, 飼う	▶ breeder 名 畜産家, 栽培者 ▶ breeding 名 飼育, 繁殖
☐ **brief** 形 動 名 [bríːf] 簡素な, 要約(する), 概要	in brief　要するに ▶ briefly 副 手短に(言えば) ▶ briefing 名 簡単な報告
☐ **brilliant** 形 [bríljənt] 輝かしい, 立派な	a brilliant career　華やかな経歴 ▶ brilliance 名 輝き, 頭脳明晰

☐ **budget** 名 [bʌ́dʒit] 予算，経費	a small budget　少ない予算 the defense budget　防衛予算
☐ **bump** 動 名 [bʌ́mp] ぶつける，ぶつかる，衝撃	bump into ～　～に出くわす ▶ bumper 名 緩衝装置，バンパー ▶ bumpy 形 でこぼこの
☐ **burden** 名 動 [bə́ːrdn] 重荷(を負わせる)	burden sharing　責任分担 ▶ burdensome 形 やっかいな
☐ **bureau** 名 [bjúərou] 局，部，事務局，案内所	▶ bureaucracy 名 官僚制度 ▶ bureaucrat 名 官僚 類 department 名 部門
☐ **burst** 動 名 [bə́ːrst] 破裂[爆発]する，破裂，突発	熟 burst into tears　突然泣き出す burst out laughing　どっと笑い出す
☐ **bury** 動 [béri] 埋める，埋葬する	▶ burial 名 埋葬 ▶ burying 名 埋蔵
☐ **calculate** 動 [kǽlkjulèit] 計算する，推定する	▶ calculation 名 計算，予測
☐ **campaign** 名 動 [kæmpéin] キャンペーン，運動(をする)	political campaign　政治運動
☐ **candidate** 名 [kǽndidèit] 立候補者	a presidential candidate　大統領候補 ▶ candidacy 名 立候補
☐ **capable** 形 [kéipəbl] 可能な，有能な	▶ capability 名 能力，可能性
☐ **capacity** 名 [kəpǽsəti] 収容能力，容量，能力，才能	▶ capacitate 動 可能にする 類 accommodations 名 収容能力
☐ **capture** 動 名 [kǽptʃər] とらえる，捕獲	The security camera captured him shoplifting. 防犯カメラは彼が万引きするのをとらえた。 ▶ captive 形 名 捕虜になった，囚人

☐ **care** 名 動 [kέər] 注意(する), 世話(をする)	▶ careful 形 注意深い ▶ caring 形 思いやりのある, 面倒見のよい ▶ careless 形 不注意な
☐ **case** 名 [kéis] 場合, 事件, 問題	熟 in any case とにかく just in case 万一に備えて
☐ **cease** 動 [síːs] 中止する, やめる	▶ ceaseless 形 絶え間ない, 不断の ▶ ceaselessly 副 絶え間なく
☐ **ceiling** 名 [síːliŋ] 天井	hit the ceiling 上限に達する, 激怒する
☐ **certain** 形 [sə́ːrtn] 確信して, 一定の, いくらかの	▶ certainly 副 確かに, もちろん ▶ certainty 名 確実(性)
☐ **certificate** 名 動 [sərtífikət | sərtífəkèit] 証明書, 有資格者と認定する	▶ certification 名 証明, 保証 ▶ certify 動 保証する
☐ **charity** 名 [tʃǽrəti] 慈善(基金・団体), 施し	Charity begins at home. 愛はまず身内から。 live on charity 援助で生活する
☐ **chase** 動 [tʃéis] 追跡する	▶ chaser 名 追撃者, チェーサー
☐ **cheer** 動 名 [tʃíər] 元気づける, 応援する, 喝采	cheer up 元気づける(づく) ▶ cheerful 形 元気のよい, 陽気な
☐ **chief** 名 形 [tʃíːf] 長, チーフ, 主要な, 最高位の	chief executive officer 最高経営責任者 [CEO] ▶ chiefly 副 主として
☐ **chill** 名 形 動 [tʃíl] 冷たさ, 冷たい, 冷える	▶ chilly 形 冷淡な, ひんやりする
☐ **circumstance** 名 [sə́ːrkəmstæ̀ns] (通例～s)状況, 環境, 事情	if circumstances permit 事情が許せば under the circumstances そういう事情なので

☐ **civil** 形 [sívəl] 市民の，民間人の	▶ civilization 名 文明(社会) ▶ civilian 名 形 一般人(の) ▶ civilize 動 文明化する
☐ **classify** 動 [klǽsəfài] 分類する，機密扱いにする	▶ classification 名 分類，機密扱い
☐ **client** 名 [kláiənt] 依頼人，顧客，クライアント	類 customer 名 客，顧客
☐ **climate** 名 [kláimit] 気候，風土	a tropical climate 熱帯性気候 an intellectual climate 知的風土
☐ **clinic** 名 [klínik] 診療所，相談所	▶ clinical 形 臨床の
☐ **closely** 副 [klóusli] 綿密に，きっちりと	▶ close 形 接近した，親密な
☐ **clue** 名 動 [klúː] 手がかり(を与える)，糸口	get a clue 分かる ▶ clueless 形 ばかな，無知な，無力な
☐ **coincidence** 名 [kouínsidəns] 一致，合致	▶ coincide 動 同時に起こる，一致する ▶ coincident 形 一致する，符合する ▶ coincidental 形 偶然の
☐ **collapse** 名 動 [kəlǽps] 崩壊(する，させる)	▶ collapsed 形 崩壊した，暴落した
☐ **colleague** 名 [káliːg] 同僚	類 coworker 名 同僚 類 fellow worker 同僚
☐ **combine** 動 [kəmbáin] 結合する[させる]	combined pollution 複合汚染 ▶ combination 名 組み合わせ，結合，コンビ
☐ **command** 名 動 [kəmǽnd] 命令(する)，指揮(する)	▶ commander 名 指揮者，司令官

☐ **comment** 名 動 [kάment] 論評(する), コメント(する)	No comment.　何も言うことはない。 ▶ commentate 動 論評する
☐ **commit** 動 [kəmít] 犯す, 委託する	▶ commitment 名 委託, 約束, 絆 ▶ committee 名 委員会 ▶ commission 名 動 委任(する)
☐ **commonly** 副 [kάmənli] たいてい, 一般的に, ふつうに	Robert is commonly called Bob. ロバートはふつうボブと呼ばれる。 ▶ common 形 ふつうの, ありふれた
☐ **companion** 名 [kəmpǽnjən] 仲間, 連れ	▶ company 名 会社, 仲間 keep company with ～　～と交際する
☐ **compare** 動 [kəmpέər] 比較する(with, to), たとえる(to)	▶ comparison 名 比較 ▶ comparable 形 比較できる ▶ comparative 形 比較の, かなりの
☐ **compensate** 動 [kάmpənsèit] ～を償う, 補償する	▶ compensation 名 補償
☐ **compete** 動 [kəmpíːt] 競争する, 匹敵する	▶ competition 名 競争, 競技 ▶ competitive 形 競争の ▶ competitor 名 競争者
☐ **complain** 動 [kəmpléin] 不平を言う	▶ complaint 名 不平, 苦情
☐ **complex** 形 名 [kəmpléks | kάmpleks] 複合の, 複雑な, 強迫観念	inferior complex　劣等感 ▶ complexion 名 顔色, 様子
☐ **complicate** 動 [kάmpləkèit] 複雑にする	▶ complicated 形 複雑な ▶ complication 名 複雑, 合併症
☐ **compliment** 名 動 [kάmpləmənt] 賛辞, ほめる	Thank you for the compliment. ほめてくれてありがとう。 ▶ complimentary 形 無料の, お世辞の, 賞賛の
☐ **compose** 動 [kəmpóuz] 構成する, 組み立てる	▶ composer 名 作曲家 ▶ composition 名 組み立て, 作文, 作曲

☐ **compromise** 名 動 [kámprəmàiz] 妥協(する)，譲歩(する)	by compromise　妥協して
☐ **concept** 名 [kánsept] 構想，概念，コンセプト	He has no concept of money. 彼にはまるでお金の概念がない。 ▶ conceive　動 思いつく，想像する
☐ **concern** 動 [kənsə́ːrn] 関係する，心配させる	▶ concerned　形 関係している, 心配そうな ▶ concerning　前 ～に関して
☐ **conclude** 動 [kənklúːd] 結論[終了]する	▶ conclusion　名 結論，終結 ▶ conclusive　形 決定的な
☐ **conduct** 動 名 [kəndʌ́kt | kándʌkt] 行動する，指導する，指揮	▶ conductor　名 指揮者，案内人 ▶ conductive　形 伝導性の
☐ **confess** 動 [kənfés] 告白[自白]する	▶ confession　名 告白，自白
☐ **confident** 形 [kánfədənt] 確信して，自信のある	▶ confidant　名 親友，側近 ▶ confidence　名 自信，信頼，信用 ▶ confidently　副 自信を持って
☐ **confirm** 動 [kənfə́ːrm] 確認する，承認する	▶ confirmation　名 確認，確定，批准
☐ **conflict** 動 名 [kənflíkt | kánflikt] 対立する，衝突	armed conflict　軍事衝突 ▶ conflicting　形 矛盾する
☐ **confuse** 動 [kənfjúːz] 混乱させる	▶ confused　形 混乱した，困惑した ▶ confusion　名 混乱，困惑
☐ **congratulate** 動 [kəngrǽtʃulèit] 祝う	▶ congratulation　名 祝賀，(～ s)祝辞
☐ **conquer** 動 [káŋkər] 征服する，克服する	▶ conquest　名 征服

☐ **conscious** 形 [kάnʃəs] 意識がある	become conscious　正気づく ▶ consciousness　名 意識 ▶ conscience　名 良心
☐ **consequently** 副 [kάnsəkwèntli] それゆえに，結果として	▶ consequence　名 結果，重要さ
☐ **conserve** 動 [kənsə́ːrv] 保存[保護]する	▶ conservation　名 自然保護，保存 ▶ conservative　形 名 保守的な(人)
☐ **consider** 動 [kənsídər] 熟考する	▶ consideration　名 熟考 ▶ considerable　形 かなりの ▶ considerate　形 思いやりのある
☐ **consist** 動 [kənsíst] (～から)成り立つ(of)	▶ consistent　形 一致する，調和する ▶ consistence　名 一貫性，一致 ▶ consistency　名 一貫性，一致
☐ **construct** 動 [kənstrʌ́kt] 建設する，組み立てる	▶ construction　名 建設 ▶ constructive　形 建設的な
☐ **consume** 動 [kənsúːm] 消費[消耗]する	▶ consumption　名 消費 ▶ consumer　名 消費者 ▶ consuming　形 身を焦がすような
☐ **contact** 名 動 [kάntækt] 接触(する，させる)	contact lens　コンタクトレンズ ▶ cantactable　形 連絡可能な
☐ **content** 名 動 形 [kəntént] 満足して，満足(する，させる)	▶ content　名 中身，内容
☐ **continue** 動 [kəntínjuː] 続く，続ける	▶ continual　形 絶え間ない ▶ continuous　形 連続的な，継続的な
☐ **contribute** 動 [kəntríbjuːt] 寄付する，貢献する	▶ contribution　名 寄付，貢献 ▶ contributor　名 貢献者
☐ **convert** 動 [kənvə́ːrt] 変える，改造する	▶ convertible　形 変えられる

☐ **convince** 動 [kənvíns] 納得[確信]させる	▶ convincing 形 説得力のある
☐ **cooperate** 動 [kouápərèit] 協力[共同]する	▶ cooperation 名 協力，共同 ▶ cooperative 形 共同の，協力的な
☐ **correct** 動 形 [kərékt] 修正する，正しい	反 incorrect 形 間違えた ▶ correction 名 修正，訂正
☐ **credit** 動 名 [krédit] 信用(する)，名声	credit crisis 信用危機 ▶ creditable 形 立派な，賞賛に値する ▶ creditor 名 債権者
☐ **crime** 名 [kráim] 犯罪，悪事	▶ criminal 名 形 犯罪者，犯罪の criminal law 刑法
☐ **critic** 名 [krítik] 批評家	▶ critical 形 批評の，重大な，危険な ▶ criticize 動 批評[批判]する ▶ criticism 名 批評，批判
☐ **cruel** 形 [krúːəl] 残酷な，悲惨な	▶ cruelty 名 残酷さ
☐ **cuisine** 名 [kwizíːn] 調理法	類 recipe 名 調理法，レシピ
☐ **cure** 名 動 [kjúər] 治療(法)，治療する	▶ cureless 形 不治の ▶ cure-all 名 万能薬
☐ **curious** 形 [kjúəriəs] 好奇心の強い，奇妙な	▶ curiosity 名 好奇心
☐ **current** 形 名 [kə́ːrənt] 現在の，流通している，気流	current affairs 時事問題 ▶ currently 副 現在 ▶ currency 名 流通，通貨
☐ **deal** 動 名 [díːl] 取り扱う，処理する，取引	変化 **deal - dealt - dealt** ▶ dealer 名 ディーラー ▶ dealing 名 取引，行動

☐ **debate** 名 動 [dibéit] 討論(する)，論争(する)	類 discuss 動 議論する
☐ **decade** 名 [dékeid] １０年間	複 decades 長年 in decades 何十年ぶりの
☐ **declare** 動 [dikléər] 宣言[公表]する	▶ declaration 名 宣言，布告 Declaration of Independence 米国独立宣言
☐ **decline** 動 名 [dikláin] 断る，傾く，傾斜，衰え	▶ declining 形 衰えつつある
☐ **dedicate** 動 [dédikèit] ささげる	▶ dedication 名 献身
☐ **defeat** 名 動 [difíːt] 敗北(させる)，打破(する)	類 beat 動 負かす
☐ **defend** 動 [difénd] 守る，防御する	▶ defence 名 防御，弁護，守備 ▶ defendant 名 被告
☐ **define** 動 [difáin] 定義する，明示する	▶ definite 形 明確な，一定の ▶ definitely 副 明確に，そのとおり ▶ definition 名 定義，鮮明度
☐ **delete** 動 [dilíːt] 削除する	▶ deletion 名 削除(箇所)
☐ **delicate** 形 [délikət] 繊細な，微妙な，丁重な	▶ delicacy 名 繊細，敏感 ▶ delicately 副 微妙に
☐ **demand** 名 動 [dimǽnd] 需要，要求(する)	demand and supply 需要と供給 on demand 要求あり次第 ▶ demanding 形 過度に要求する
☐ **demonstrate** 動 [démənstrèit] 説明する，表す	▶ demonstration 名 実地説明，デモ ▶ demonstrator 名 実演者，デモ参加者

☐ **depart** 動 [dipɑ́ːrt] 出発する	▶ departure 名 出発 ▶ departed 形 死んだ
☐ **depend** 動 [dipénd] 頼る，～次第だ(on)	That depends.　それは場合による。 ▶ dependent 形 頼っている ▶ dependance 名 依存，信頼
☐ **deprive** 動 [dipráiv] (～を)奪う(of)	▶ deprived 形 恵まれない ▶ deprivation 名 剝奪
☐ **depth** 名 [dépθ] 深さ，深遠さ，奥行き	▶ deep 形 深い
☐ **derive** 動 [diráiv] 由来する，出ている	be derived from ～　～に由来する ▶ derivation 名 由来，起源
☐ **deserve** 動 [dizə́ːrv] 値する	▶ deserving 形 資格のある，値する
☐ **desire** 名 動 [dizáiər] 欲求，願望，望む，欲する	▶ desirable 形 望ましい ▶ desirous 形 切望している
☐ **destine** 動 [déstin] (～する)運命にある	▶ destiny 名 運命 ▶ destination 名 目的地
☐ **destroy** 動 [distrɔ́i] 破壊する	▶ destruction 名 破壊 ▶ destructive 形 破壊的な
☐ **detect** 動 [ditékt] 見つける，見抜く	▶ detective 名 形 探偵(の)，刑事 ▶ detection 名 発見，探知 ▶ detector 名 発見者，探知機
☐ **determine** 動 [ditə́ːrmin] 決定する，決意する	▶ determination 名 決心，決定 ▶ determined 形 決然とした
☐ **device** 名 [diváis] 工夫，装置	▶ devise 動 工夫[考案]する

☐ **devote** 動 [divóut] ささげる	▶ devoted 形 献身的な ▶ devotion 名 貢献，専念
☐ **disadvantage** 名 [dìsədvǽntidʒ] 不利(な点)，損失	Our team had a big disadvantage. 私たちのチームには大きな不利な点があった。 反 advantage 名 有利(な点)
☐ **discriminate** 動 [diskrímənèit] 差別する，識別する	▶ discrimination 名 差別(待遇)，識別力 ▶ discriminatory 形 差別待遇の
☐ **dismiss** 動 [dismís] 解雇する，解散する	▶ dismissal 名 解雇，解散
☐ **display** 名 動 [displéi] 陳列(する)，展示(する)	display ad ディスプレイ広告 on display 陳列して
☐ **dispose** 動 [dispóuz] 配置する，その気にさせる	▶ disposition 名 配置，気質 ▶ disposal 名 処理，処分
☐ **distinct** 形 [distíŋkt] 異なった，別個の	▶ distinction 名 区別，特質 ▶ distinctive 形 区別となる
☐ **distinguish** 動 [distíŋgwiʃ] 区別する，見分ける	▶ distinguished 形 優れた
☐ **distribute** 動 [distríbjuːt] 分配する，配達する	▶ distribution 名 配分，配送，流通 ▶ distributer 名 分配者
☐ **disturb** 動 [distə́ːrb] 邪魔をする，混乱させる	▶ disturbance 名 妨害，迷惑
☐ **divide** 動 [diváid] 分配する，分かれる	▶ division 名 分割，不和，部門 ▶ divisive 形 不和を生じる
☐ **document** 名 [dákjumənt] 書類，文書，記録	▶ documentary 形 文書の

☐ **domestic** 形 [dəméstik] 国内の，家庭内の	domestic violence　家庭内暴力
☐ **donate** 動 [dóuneit] 寄付する	▶ donation　名 寄付
☐ **doubt** 名 動 [dáut] 疑い，疑う	no doubt　きっと，確かに ▶ doubtful　形 疑っている
☐ **drown** 動 [dráun] 溺れる（溺れさせる）	I almost drowned in the river. 川で溺れ死ぬところだった。 death by drowning　溺死
☐ **due** 形 [djúː] 支払われるべき，当然の	熟 due to ～　～のために，～のせいで ▶ duly　副 正当に，適切に
☐ **dull** 形 [dʌ́l] さえない，鈍い，不振の	反 sharp　形 鋭い
☐ **duty** 名 [djúːti] 義務，税	do *one's* duty　義務を果たす on duty　勤務中で ▶ duties　名 職務
☐ **eager** 形 [íːgər] 熱心な，熱望して	▶ eagerly　副 熱心に ▶ eagerness　名 熱心さ
☐ **edit** 名 動 [édit] 編集（する）	▶ edition　名 版 ▶ editor　名 編集者［長］ ▶ editorial　名 形 社説，編集の
☐ **efficient** 形 [ifíʃənt] 効率的な，有能な	▶ efficiency　名 効率，能力 ▶ efficiently　副 効率的に
☐ **either** 代 形 接 [íːðər] どちらか（の），～かまたは	in either case　どちらにしても
☐ **elect** 動 [ilékt] 選出する	He was elected mayor. 彼は市長に選出された。 ▶ election　名 選挙，選出

☐ **element** 名 [éləmənt] 要素，元素	an important element of marriage 結婚の重要な要素 ▶ elementary 形 初歩の，基本的な
☐ **eliminate** 動 [ilímənèit] 削除する，除去する	▶ elimination 名 除去
☐ **embarrass** 動 [imbǽrəs] 困惑[当惑]させる	▶ embarrassment 名 当惑，困惑 ▶ embarrassing 形 困った，厄介な
☐ **emergency** 名 [imə́ːrdʒənsi] 緊急(事態)，非常時	an emergency exit 非常口 emergency room 緊急救命室（ER）
☐ **emotion** 名 [imóuʃən] 感情	with emotion 感情を込めて ▶ emotional 形 感情的な，感情の ▶ emotionally 副 感情的に
☐ **emphasis** 名 [émfəsis] 強調，強勢	▶ emphasize 動 強調する
☐ **encounter** 動 名 [inkáuntər] 出会う，遭遇(する)	chance encounter 偶然の出会い
☐ **endanger** 動 [indéindʒər] 危うくする，危険にさらす	▶ endangered 形 絶滅の危険にさらされた endangered species 絶滅危惧種 ▶ danger 名 危険
☐ **endure** 動 [indjúər] 耐える，我慢する	▶ enduring 形 不朽の，辛抱強い
☐ **enemy** 名 [énəmi] 敵	a public enemy 社会の敵 fight against an enemy 敵と戦う
☐ **enforce** 動 [infɔ́ːrs] 強要する，施行する	▶ enforcement 名 施行，実施，執行，強制
☐ **enlarge** 動 [inláːrdʒ] 大きくする	enlarge *one's* vocabulary 語彙を増やす en（「～にする」という意味を作る）＋large（大きい）→ enlarge

☐ **enormous** 形 [inɔ́:rməs] 莫大(ばくだい)な，巨大な	▶ enoumously 副 非常に，法外に
☐ **enroll** 動 [inróul] 入会させる，登録する	▶ enrollment 名 登録，入学者数
☐ **ensure** 動 [inʃúər] 確実にする，保証する	類 make sure 確かめる
☐ **enthusiastic** 形 [inθù:ziǽstik] 熱心な	▶ enthusiasm 名 熱心さ，熱中
☐ **entire** 形 [intáiər] 全体の，まったくの	▶ entirely 副 まったく，すっかり
☐ **entry** 名 [éntri] 入場，入り口，登録，立ち入り	No entry 進入禁止 entry permit 入国許可 ▶ enter 動 入る
☐ **equip** 動 [ikwíp] 備える，装備する	▶ equipment 名 設備，装備
☐ **essence** 名 [ésns] 本質，エッセンス	▶ essential 形 不可欠な，本質の，基本的な ▶ essentially 副 本質的に，本来
☐ **establish** 動 [istǽbliʃ] 設立する，制定する	▶ establishment 名 設立，制定
☐ **estimate** 動 名 [éstəmèit | éstəmət] 評価する，見積もる，見積もり	▶ estimation 名 評価，判断
☐ **eventually** 副 [ivéntʃuəli] ついに，結局は	He eventually got a driver's license. 彼はついに車の免許を取った。 ▶ eventual 形 結果として起こる，最後の
☐ **evident** 形 [évədənt] 明白な	▶ evidence 名 証拠，形跡 ▶ evidently 副 明らかに

☐ **evolve** 動 [ivɑ́lv] 進化[発展]する[させる]	▶ evolution 名 進化，発展 ▶ evolutionary 形 進化の ▶ evolutionism 名 進化論
☐ **exaggerate** 動 [igzǽdʒərèit] 誇張する	▶ exaggeration 名 誇張
☐ **exceed** 動 [iksí:d] 越える，勝る	▶ excess 名 過剰，超過 ▶ excessive 形 過度の ▶ excessively 副 過度に
☐ **excuse** 動 名 [ikskjú:z] 許す，言い訳，口実	excuse *oneself* 言い訳をする Stop making excuses. 言い訳するのはよしなさい。
☐ **exhaust** 動 名 [igzɔ́:st] 使い果たす，疲れさせる，排出	▶ exhausted 形 疲れきった，使い尽くされた ▶ exhaustedly 副 疲れきって，使い尽くされて ▶ exhausting 形 疲れさせる
☐ **expand** 動 [ikspǽnd] 広げる，拡大する	▶ expanse 名 広がり，拡大 ▶ expansion 名 拡張，拡大 ▶ expansive 形 発展的な，広々とした
☐ **explode** 動 [iksplóud] 爆発する[させる]	▶ explosion 名 爆発，破裂 ▶ explosive 名 形 爆薬，爆発性の
☐ **explorer** 名 [iksplɔ́:rər] 探検家	▶ explore 動 探検する ▶ exploration 名 探検，調査
☐ **export** 動 名 [ikspɔ́:rt] 輸出(する)	toys for export 輸出用のおもちゃ 反 import 動 名 輸入(する)
☐ **expose** 動 [ikspóuz] さらす，陳列する，暴露する	▶ exposition 名 展示(会)，陳列 ▶ exposure 名 暴露，陳列
☐ **extend** 動 [iksténd] 広げる，広がる，伸ばす	▶ extension 名 拡張，内線 ▶ extensive 形 広い，広範囲の ▶ extent 名 広さ，程度
☐ **extinct** 形 [ikstíŋkt] 絶滅した，廃れた	▶ extinction 名 絶滅 extinctive species 絶滅種

☐ **extreme** 形 [ikstríːm] 極端な	▶ extremely 副 極端に ▶ extremity 名 先端，果て，極み ▶ extremist 名 過激主義者
☐ **eyesight** 名 [áisàit] 視覚，視力	*cf.* hearing 名 聴覚
☐ **factor** 名 [fǽktər] 要素，要因	the key factor カギとなる要因 The economic factor influences the birth rate. 経済的な要因が出生率に影響を与える。
☐ **fade** 動 [féid] (色が)あせる，失われる	▶ fading 形 色あせる，薄れる ▶ fade-out 名 フェードアウト
☐ **faith** 名 [féiθ] 信頼，信仰，信念	▶ faithful 形 誠実な，信頼できる ▶ faithless 形 不誠実な
☐ **fake** 名 形 動 [féik] 偽造品，偽の，偽造する	fake fur 模造毛皮
☐ **false** 形 [fɔ́ːls] 誤った，虚偽の	反 true 形 本当の，真実の ▶ true-false 形 ○×式の
☐ **fare** 名 動 [fέər] 乗車料金，運賃，暮らす	類 charge 名 手数料，使用料 類 price 名 価格 類 cost 名 費用，損失
☐ **fascinate** 動 [fǽsənèit] 魅惑する	▶ fascinating 形 魅惑的な ▶ fascination 名 魅惑
☐ **fasten** 動 [fǽsn] 固定する，締める	▶ fastener 名 留め具，ファスナー
☐ **feature** 名 動 [fíːtʃər] 特徴，顔立ち，～の特色になる	類 characteristic 名 特徴
☐ **feedback** 名 [fíːdbæ̀k] 反響，反応	▶ feed 動 供給する，与える

☐ **fellow** 名 形 [félou] 仲間(の), やつ, 男	fellow worker　同僚 ▶ fellowship 名 共同, 協力, 団体
☐ **figure** 名 動 [fígjər] 数字, 姿, 計算する, わかる	figure out　理解する, 解決する She is good at figures. 彼女は計算が得意だ。
☐ **finance** 名 動 [finǽns, fáinæns] 財政(学), 融資する	▶ financial 形 財政[金融]上の financial newspaper　経済紙
☐ **fix** 動 [fíks] 固定する[させる], 修理する	in a fix　困って ▶ fixed 形 固定した, 据え付けられた 類 repair 動 修理する
☐ **flatter** 動 [flǽtər] お世辞を言う, 喜ばせる	▶ flattery 名 お世辞 ▶ flatterer 名 へつらう人
☐ **flexible** 形 [fléksəbl] 柔軟な, 曲げやすい	▶ flexibility 名 柔軟性
☐ **flood** 名 動 [flʌ́d] 洪水, 殺到, 氾濫(する)	▶ flooded 形 水浸しの, 冠水した ▶ floodbank 名 防水壁
☐ **fluent** 形 [flúːənt] 流暢(りゅうちょう)な	▶ fluently 副 流暢に ▶ fluency 名 流暢さ
☐ **focus** 名 動 [fóukəs] 焦点(を当てる), 集中する	focus on ～＝ put focus on ～ ～に焦点を当てる
☐ **follow** 動 [fɑ́lou] ついていく, 追いかける	as follows　次(以下)のとおり ▶ follower 名 支持者, フォロワー
☐ **force** 名 動 [fɔ́ːrs] 力, 軍事力, 強要する	by force　暴力で, 力ずくで ▶ enforce 動 施行する, 強要する ▶ forceful 形 力強い
☐ **former** 形 名 [fɔ́ːrmər] 前の, 前者の	▶ the former　前者(⇔ the latter　後者)

☐ **formulate** 動 [fɔ́:rmjulèit] 公式で表す	▶ formula 名 公式，決まり文句 ▶ formulation 名 公式化，組織立て
☐ **found** 動 [fáund] 設立[制定]する	▶ foundation 名 基礎，土台，創設 ▶ founder 名 創設者
☐ **fragile** 形 [frǽdʒəl] 壊れやすい，はかない	反 tough 形 丈夫な
☐ **frequently** 副 [frí:kwəntli] たびたび，しばしば	反 infrequently 副 まれに，たまに ▶ frequent 形 常習的な ▶ frequency 名 頻発，周波数
☐ **fuel** 動 名 [fjú:əl] 燃料(を供給する)	fuel gas 燃料ガス ▶ fuel-efficient 形 燃料効率のよい
☐ **fulfill** 動 [fulfíl] 遂行する，満たす	fulfill a promise 約束を果たす ▶ fulfillment 名 実現(による満足感)
☐ **function** 名 動 [fʌ́ŋkʃən] 機能(する)，作用する，働き	▶ functionable 形 機能的な，実用的な
☐ **furthermore** 副 [fə́:rðərmɔ̀:r] さらに	類 besides 副 さらに，そのうえに
☐ **fury** 名 [fjúəri] 憤激，激怒	▶ furious 形 激怒した，猛烈な
☐ **gain** 動 名 [géin] 得る，増加する，進歩，取得	gain time (時計が)進む ▶ gains 名 儲(もう)け，利得
☐ **generation** 名 [dʒènəréiʃən] 世代，同時代の人々	the next generation 次の世代 ▶ generate 動 生み出す，発生させる
☐ **generous** 形 [dʒénərəs] 気前のよい，寛大な	▶ generosity 名 寛大(さ) ▶ generously 副 気前よく

☐ **genuine** 形 [dʒénjuin] 本物の，真の	This bag is made from genuine leather. このかばんは本物の革でできている。 genuine friendship　真の友情
☐ **gravity** 名 [grǽvəti] 重力，引力	▶ gravitate　動 引力に引かれる ▶ gravitation　名 引力，引力作用
☐ **guarantee** 名 動 [gæ̀rəntíː] 保証(する)，担保	▶ guaranteed　形 保証された
☐ **habitat** 名 [hǽbitæ̀t] 生息(地)，環境	▶ habitant　名 住人，居住者
☐ **hardly** 副 [háːrdli] ほとんど〜ない	類 scarcely　副 ほとんど〜ない
☐ **harmony** 名 [háːrməni] 調和，一致	in harmony with 〜　〜と調和して ▶ harmonize　動 調和(一致)させる
☐ **harvest** 名 動 [háːrvist] 収穫(する)	a rich harvest of potatoes　ジャガイモの豊作 harvest a crop　作物を収穫する
☐ **heal** 動 [híːl] 治す，癒やす	▶ healing　名 治療
☐ **hesitantly** 副 [hézətəntli] しぶしぶと，ためらって	Bob hesitantly asked her to go on a date with him. ボブはためらいがちに彼女をデートに誘った。 ▶ hesitate　動 ためらう
☐ **hesitate** 動 [hézətèit] ためらう，口ごもる	▶ hesitation　名 ためらい
☐ **hug** 動 名 [hʌ́g] 抱きしめる，抱擁(する)	give 〜 a big hug　〜を大きく抱擁する
☐ **humanity** 名 [hjuːmǽnəti] 人間性(愛)，人類	a crime against humanity　人類に対する犯罪 ▶ humane　形 人間味のある，優しい

☐ **humid** 形 [hjúːmid] 湿った，むしむしする	▶ humidity 名 湿度，湿気
☐ **hurt** 動 名 [hə́ːrt] 傷つける，痛む，傷，けが	▶ hurtful 形 有害な 類 injury 名 けが
☐ **identify** 動 [aidéntəfài] 同一視する，識別する	▶ identical 形 同一の，等しい ▶ identity 名 同一であること，一致，独自性 ▶ identification 名 認証，身分証明(書)，識別
☐ **ignore** 動 [ignɔ́ːr] 無視する	▶ ignorant 形 無学の，無知の ▶ ignorance 名 無知，無学
☐ **illegal** 形 [ilíːgəl] 不法[違法]の	▶ illegally 副 不法[違法]に 反 legal 形 合法の
☐ **illusion** 名 [ilúːʒən] 幻想，幻覚	▶ illusionist 名 手品師 ▶ illusional 形 錯覚の，幻想の ▶ illusionary 形 錯覚の
☐ **illustrate** 動 [íləstrèit] 例示する，説明する	This illustrates how the greenhouse effect is caused. これがいかに温室効果が起きるのかを例示している。 ▶ illustration 名 挿絵，イラスト，説明
☐ **imitate** 動 [ímətèit] まねる，模倣する	▶ imitation 名 模[偽]造品
☐ **immediate** 形 [imíːdiət] 即座の，直接の	▶ immediately 副 すぐさま，ただちに
☐ **impact** 名 動 [ímpækt] 衝撃，影響(を与える)	have an impact on ～　～に影響を与える
☐ **implant** 動 名 [implǽnt | ímplæ̀nt] 植えつける，移植(する)	▶ implantation 名 移植 類 transplant 動 名 移植する，移植
☐ **imply** 動 [implái] ～の意味を含む，暗示する	▶ implication 名 ほのめかし，含蓄

☐ **impression** 名 [impréʃən] 印象	What was your first impression of him? 彼の第一印象はどうでしたか？ ▶ impressive 形 印象的な
☐ **income** 名 [ínkʌm] 収入，所得	income gain 利子・配当などからの収入 反 outgo 名 支出，出費
☐ **indeed** 副 [indíːd] 本当に，まったく	類 actually 副 実際に，本当に
☐ **independent** 形 [ìndipéndənt] 独立した，独自の	▶ independence 名 独立 反 dependent 形 頼っている，従属している
☐ **indicate** 動 [índikèit] 指示する，指摘する	▶ indication 名 指示，兆候 ▶ indicator 名 指示するもの[人]
☐ **individual** 形 名 [ìndəvídʒuəl] 個々の，個人(の)	▶ individually 副 個々に，それぞれ ▶ individualist 名 個人主義者
☐ **industrial** 形 [indʌ́striəl] 工業の，産業の	▶ industrious 形 勤勉な ▶ industry 名 工業，産業，勤勉
☐ **inferior** 形 [infíəriər] 劣った	▶ inferiority 名 劣等 反 superior 形 優れた 反 superiority 名 優等
☐ **influence** 名 動 [ínfluəns] 影響(力)，影響を与える	▶ influential 形 影響力のある
☐ **informal** 形 [infɔ́ːrməl] 非公式な，形式張らない	反 formal 形 正式な
☐ **ingredient** 名 [ingríːdiənt] 成分，材料	類 material 名 素材，材料
☐ **inhabit** 動 [inhǽbit] ～に住む	▶ inhabitant 名 居住者，生息動物

☐ **initial** [名][形] [iníʃəl] 頭文字，イニシャル，最初の	▶ initially [副] 初めに
☐ **innocent** [形] [ínəsənt] 無罪の，無害の	▶ innocence [名] 無罪，無害，無邪気
☐ **insert** [動][名] [insə́ːrt | ínsəːrt] 挿入する，挿入物	▶ insertion [名] 挿入，差し込むこと
☐ **insist** [動] [insíst] 主張する，言い張る	▶ insistence [名] 主張 ▶ insistent [形] しつこい，言い張る
☐ **inspire** [動] [inspáiər] 鼓舞する，～を吹き込む	▶ inspiration [名] 霊感，鼓舞，インスピレーション ▶ inspiratory [形] 呼気(吸入)の
☐ **install** [動] [instɔ́ːl] 取り付ける，就任させる	▶ installation [名] 取り付け，据え付け，就任 ▶ installment [名] 分割払いの１回分
☐ **instance** [名] [ínstəns] 場合，段階，例	[熟] for instance 例えば
☐ **instant** [名][形] [ínstənt] 瞬間，即時の	▶ instantly [副] すぐに
☐ **instinct** [名] [ínstiŋkt] 本能，直感	animal instincts 動物の本能 ▶ instinctive [形] 本能的な，直感的な
☐ **instrument** [名] [ínstrəmənt] 器具，道具，楽器	medical instruments 医療器具 ▶ instrumental [形][名] 楽器の(曲)，役立つ
☐ **insurance** [名] [inʃúərəns] 保険	health insurance 健康保険 ▶ insure [動] 保険をかける
☐ **intend** [動] [inténd] 意図する，意味する	▶ intended [形] 故意の ▶ intention [名] 意図，意味，目的 ▶ intentional [形] 意図的な

☑ **interfere** 動 [ìntərfíər] 干渉する，邪魔する	▶ interference 名 邪魔，妨害
☑ **interpret** 動 [intə́ːrprit] 通訳する，解釈する	▶ interpreter 名 通訳者 ▶ interpretation 名 解釈，通訳
☑ **interrupt** 動 [ìntərʌ́pt] 邪魔をする，中断する	▶ interruption 名 邪魔，中断
☑ **investigate** 動 [invéstəgèit] 調査する	▶ investigation 名 取り調べ，調査 under investigation 調査中
☑ **invisible** 形 [invízəbl] 目に見えない	▶ invisibility 名 目に見えないこと 反 visible 形 目に見える
☑ **involve** 動 [inválv] 含む，巻き込む	▶ involvement 名 関与
☑ **jam** 動 [dʒǽm] 押し込む，故障させる	traffic jam 交通渋滞 in a jam 困って
☑ **jealous** 形 [dʒéləs] ねたむ，嫉妬深い	▶ jealously 副 嫉妬深く，ねたんで ▶ jealousy 名 嫉妬，ねたみ
☑ **journey** 名 動 [dʒə́ːrni] 旅，旅行する	one-week journey to Europe 欧州への一週間の旅 make a journey 旅行する
☑ **justice** 名 [dʒʌ́stis] 正義，公正，司法	▶ justify 動 正当化する，弁明する ▶ justification 名 正当化
☑ **knitting** 名 [nítiŋ] 編み物	knitting needle 編み棒 ▶ knit 動 編む，（眉を）ひそめる
☑ **label** 動 名 [léibəl] ラベル(をつける)，荷札，レッテル	a name and address label 名前と住所記入用ラベル label the bottles ボトルにラベルを貼る

☐ **laboratory** 名 [lǽbərətɔ̀:ri] 研究所，実験室	laboratory animal　実験動物
☐ **lack** 名 動 [lǽk] 不足，欠乏，欠く	類 shortage 名 不足
☐ **landmark** 名 [lǽndmɑ̀:rk] 目印，目標物，画期的出来事	類 landscape 名 景色，風景
☐ **lap** 名 [lǽp] ひざ	▶ laptop 名 形 ひざ上の，ラップトップの（パソコン）
☐ **launch** 動 名 [lɔ́:ntʃ] 開始（する），売り出す，発射（する）	launch a new product　新商品を売り出す ▶ launcher 名 発射装置
☐ **lecture** 名 動 [léktʃər] 講義（をする），説教（する）	▶ lecturer 名 講演者，講師
☐ **legally** 副 [lí:gəli] 合法的に	legally recognized　法的に認められた ▶ legalize 動 合法化する
☐ **leisure** 名 [lí:ʒər] 余暇，暇	at leisure　暇で at *one's* leisure　暇なときに ▶ leisured 形 （金があって）暇の多い
☐ **length** 名 [léŋkθ] 長さ，丈	at length　詳細に ▶ long 形 長い
☐ **license** 名 動 [láisəns] 許可（証），免許（証），認可（する）	a parking license　駐車許可証 ▶ licensed 形 許可を受けた
☐ **lie** 動 [lái] 横たわる，横になる	変化 **lie - lay - lain** *cf.* lay 動 横たえる
☐ **limitation** 名 [lìmətéiʃən] 制限，限界	without limitation　無制限に ▶ limited 形 限定された，わずかな

☐ **linguistic** 形 [liŋgwístik] 言語の	▶ linguistics 名 言語学
☐ **link** 動 名 [líŋk] つなぐ，連結する，輪，絆(きずな)	▶ linkage 名 結合，連合 ▶ linked 形 連鎖した，鎖でつながった
☐ **literature** 名 [lítərətʃər] 文学	▶ literal 形 文字(どおり)の ▶ literary 形 文学[文芸]の ▶ literate 名 形 読み書きできる(人)
☐ **load** 名 動 [lóud] (積)荷，仕事量，積む，詰め込む	▶ loaded 形 荷を積んだ，満員の ▶ loading 名 積み込み
☐ **loan** 名 動 [lóun] 融資，借金，貸し付ける	make a loan to the company その会社に融資をする He loaned me $100. 彼は私に 100 ドル貸してくれた。
☐ **locate** 動 [lóukeit] 突き止める，位置する	We were able to locate the station on the map. 私たちは地図で駅を見つけることができた。 ▶ location 名 位置，配置，ロケ現場
☐ **logic** 名 [ládʒik] 論理(学)	▶ logical 形 論理的な
☐ **lower** 動 形 副 [lóuər] 下げる，下がる，より低い	反 lift 動 上げる
☐ **luckily** 副 [lʌ́kili] 幸運にも	Luckily, the train hasn't departed yet. 幸運にも電車は未だ出発していない。 ▶ luck 名 運，幸運
☐ **luxury** 名 [lʌ́kʃəri] ぜいたく(品)	▶ luxurious 形 ぜいたくな
☐ **maintain** 動 [meintéin] 保つ，維持する	maintain good relations with 〜 〜と良好な関係を保つ ▶ maintenance 名 維持，管理，メンテナンス
☐ **major** 動 形 [méidʒər] 専攻する，主要な，重大な	反 minor 形 重要でない

☐ **majority** 名 [mədʒɔ́ːrəti] 大多数，過半数	majority decision　多数決 反 minority　名 少数(集団)
☐ **manage** 動 [mǽnidʒ] 監督[経営，管理]する	▶ manager　名 経営者，マネージャー，監督 ▶ management　名 経営，管理
☐ **manner** 名 [mǽnər] やり方，態度，(～s)作法	▶ mannered　形 礼儀にかなった
☐ **manual** 名 形 [mǽnjuəl] 説明書，手動の	a teacher's manual　教員用指導書 ▶ manually　副 手細工で，手で
☐ **manufacture** 名 動 [mæ̀njufǽktʃər] 製造業，製造する	▶ manufacturer　名 製造業者
☐ **master** 動 名 [mǽstər | mɑ́ːs-] 征服する，支配する，主人	類 rule　動 支配する，治める 類 govern　動 (政治組織を通じて)支配する ▶ masterpiece　名 代表作
☐ **matter** 動 名 [mǽtər] 重要である，物質，問題	matter of fact　実際問題
☐ **mature** 形 動 [mətjúər] 成長した，熟する	▶ maturity　名 成熟(期)
☐ **meanwhile** 副 名 [míːnhwàil] そうしている間に，合間	類 meantime　名 副 そうしている間，合間
☐ **measure** 動 名 [méʒər] 測定(する)，寸法がある，手段，程度	measure up to ～　(期待などに)かなう for good measure　おまけとして
☐ **meet** 動 [míːt] 満足させる，応じる	変化 **meet - met - met** 類 satisfy　動 満足させる
☐ **melt** 動 [mélt] 溶ける，溶かす	The snow has melted.　雪が溶けた。 ▶ meltdown　名 (原子炉の)炉心溶融，完全崩壊

☐ **mental** 形 [méntl] 心の，精神の	mental age　精神年齢 mental health　精神衛生 ▶ mentally　副 精神的に
☐ **mention** 動 名 [ménʃən] 述べる，言及(する)，陳述	類 refer to ～　～に言及する
☐ **mere** 形 [míər] ほんの，単なる	▶ merely　副 単に
☐ **migrate** 動 [máigreit] 移住する	▶ migration　名 移出入，移住，人口移動
☐ **military** 形 名 [míliteri] 軍(隊)の，軍人の，軍部	military forces　軍事力 ▶ militant　形 好戦的な，交戦中の ▶ militarism　名 軍国主義(体制)
☐ **mineral** 形 名 [mínərəl] 鉱物(を含む)	mineral water　ミネラルウォーター
☐ **minimum** 名 形 [mínəməm] 最小限(の)	minimum wage　最低賃金 ▶ maximum　名 形 最大限(の)
☐ **mission** 名 [míʃən] 使節団，使命，任務	熟 carry out *one's* mission　使命を果たす ▶ missionary　名 形 宣教師，伝道の
☐ **mixture** 名 [míkstʃər] 混合(物[薬])	▶ mix　動 混ぜる，混合する ▶ mixed　形 混ざりあった
☐ **moderate** 形 [mádərət] 適度の，穏やかな，中くらいの	▶ moderately　副 適度に ▶ moderator　名 調停者 ▶ moderation　名 節度，適度，穏健
☐ **monitor** 動 名 [mánətər] 監視する，監視者，忠告者	monitor screen　監視テレビ
☐ **monument** 名 [mánjumənt] 記念建造物[碑]	▶ monumental　形 記念碑の ▶ monumentally　副 途方もなく

見出し語	関連語句
☐ **mood** 名 [múːd] 気分，ムード	in a good [bad] mood　上[不]機嫌で 類 atmosphere　名 雰囲気
☐ **mostly** 副 [móustli] たいてい	▶ most　形 最も多くの，たいていの
☐ **motion** 動 名 [móuʃən] 身振りで合図する，動き，動作	▶ move　動 動く ▶ movement　名 運動，運行
☐ **motivate** 動 [móutəvèit] 動機[刺激]を与える	▶ motivation　名 動機づけ，刺激 ▶ motive　名 動機，主題
☐ **murder** 名 動 [mə́ːrdər] 殺人，（人を）殺す	▶ murderer　名 殺人者 ▶ murderous　形 殺人的な
☐ **mystery** 名 [místəri] 神秘，謎	▶ mysterious　形 神秘の，謎めいた
☐ **navigate** 動 [nǽvəgèit] 誘導する	navigate by satellite　衛星により誘導する ▶ navigation　名 操縦，航海（術）
☐ **negative** 形 [négətiv] 否定の，反対の，消極的な	▶ negatively　副 否定的に，否定して，消極[悲観]的に ▶ negativity　名 消極性，無気力
☐ **neglect** 動 名 [niglékt] 無視する，怠る，放置	類 ignore　動 無視する ▶ neglected　形 無視された ▶ neglectful　形 不注意な，無関心な，怠慢な
☐ **negotiate** 動 [nigóuʃièit] 交渉する	▶ negotiation　名 交渉 under negotiation　交渉中で
☐ **neither** 接 代 [níːðər] どちらも～ない	neither *A* nor *B*　ＡもＢも～ない
☐ **nevertheless** 副 [nèvərðəlés] それにもかかわらず	類 nonetheless　副 それにもかかわらず 類 however　副 それでも，やはり

☐ **nonprofit** 形 [nɑ̀nprɑ́fit] 非営利の，利益のない	NPO　非営利団体（Nonprofit Organization） ▶ profit　名 利益，収益
☐ **obey** 動 [oubéi] ～に従う	▶ obedience　名 服従 ▶ obedient　形 従順な
☐ **object** 名 動 [ɑ́bdʒikt | əbdʒékt] 物，目的，反対する	▶ objection　名 異議，反対 ▶ objective　名 形 目的（語，格），客観的な
☐ **observe** 動 [əbzə́ːrv] 観察する	▶ observation　名 観察，意見 ▶ observer　名 オブザーバー
☐ **obtain** 動 [əbtéin] 獲得する，手に入れる	類 acquire　動 手に入れる ▶ obtainable　形 入手可能な
☐ **obvious** 形 [ɑ́bviəs] 明白な	▶ obviously　副 明らかに
☐ **occasion** 名 [əkéiʒən] 場合，機会	▶ occasional　形 ときどきの ▶ occasionally　副 時たま
☐ **occupy** 動 [ɑ́kjupài] ～を占める	▶ occupation　名 職業，業務 ▶ occupational　形 職業の
☐ **occur** 動 [əkə́ːr] 起こる，心に浮かぶ	▶ occurrence　名 出来事，事件，発生
☐ **odd** 形 [ɑ́d] 奇妙な，半端の，奇数の	▶ oddity　名 珍奇，風変わり ▶ oddly　副 奇妙に ▶ oddness　名 奇妙，風変わり
☐ **offend** 動 [əfénd] 感情を害する，障る	▶ offense　名 違反，犯罪 ▶ offensive　形 無礼な，攻撃的な
☐ **operation** 名 [ɑ̀pəréiʃən] 操作，活動，手術	a rescue operation　救助活動 ▶ operate　動 作動する，手術をする，動かす

見出し語	関連語
☐ **opportunity** 名 [àpərtjúːnəti] 機会，好機	類 chance 名 機会，好機
☐ **oppose** 動 [əpóuz] 反対する	▶ opposite 形 反対の，逆の ▶ opposition 名 反対，対抗 ▶ opponent 名 相手，反対者
☐ **organic** 形 名 [ɔːrgǽnik] 有機(体)の，有機肥料	organic food 自然食品 反 inorganic 形 無機の
☐ **organize** 動 [ɔ́ːrgənàiz] 組織する，まとめる	organize *one's* thoughts 考えをまとめる ▶ organization 名 組織，団体
☐ **origin** 名 [ɔ́ːrədʒin] 起源，発端，生まれ	an American of Japanese origin 日系アメリカ人 ▶ originally 副 本来は，最初は
☐ **outcome** 名 [áutkʌ̀m] 結果	come out 現れる，(結果が)出る
☐ **overcome** 動 [òuvərkʌ́m] 圧倒する，打ち勝つ	変化 **overcome - overcame - overcome** 類 defeat 動 打ち勝つ
☐ **overflow** 動 [òuvərflóu] 氾濫する	▶ flow 動 あふれる ▶ overflowing 形 あふれるほどの
☐ **owe** 動 [óu] 借りている，借りがある	▶ owing 形 借りとなっている，未払いの owing to ～ ～のせいで
☐ **pain** 名 動 [péin] 苦しみ，痛み，苦しめる	▶ painful 形 痛い，苦しい ▶ painfully 副 苦労して
☐ **panic** 名 形 [pǽnik] ろうばい，パニック，狂乱の	panic disorder パニック障害 ▶ panicky 形 びくびくした
☐ **participate** 動 [pɑːrtísəpèit] 参加する，加わる	▶ participation 名 参加

頻出単語　頻出熟語　長文単語　会話表現

☐ **particular** 形 名 [pərtíkjulər] 特別の，独特の，細部	in particular　特に 反 general　形 全般的な，普通の
☐ **patient** 名 形 [péiʃənt] 患者，我慢強い	▶ patience　名 忍耐(力)
☐ **pause** 名 動 [pɔ́:z] 中止(する)，休止，待つ	give ～ a pause　～にちゅうちょさせる without a pause　中断しないで
☐ **peak** 名 動 [pí:k] 頂点(に達する)，山頂	peak time　ピーク時 ▶ peaked　形 先のとがった，ひさしのある
☐ **peel** 名 動 [pí:l] 皮(をむく)	peel an orange　オレンジの皮をむく ▶ peeler　名 皮むき器
☐ **perceive** 動 [pərsí:v] 知覚する，気づく	▶ perceptible　形 知覚できる ▶ perception　名 知覚，認知
☐ **period** 名 [píəriəd] 期間，時代，ピリオド	▶ periodic　形 周期的な ▶ periodical　名 形 定期刊行物(の) 類 age　名 時代
☐ **permanent** 形 [pə́:rmənənt] 永遠の，不変の	▶ permanently　副 永久に
☐ **permit** 動 [pərmít] 許す，許可する	▶ permission　名 許可，免許 ▶ permissive　形 自由放任の
☐ **persuade** 動 [pərswéid] 説得する	▶ persuasion　名 説得(力) ▶ persuasive　形 説得力のある
☐ **phenomenon** 名 [finámənàn] 現象	複 phenomena，phenomenons
☐ **philosophy** 名 [filásəfi] 哲学，原理，人生観	▶ philosopher　名 哲学者 ▶ philosophical　形 哲学の，哲学者のような

☐ **physical** 形 [fízikəl] 身体(物質[物理])の	▶ physicist 名 物理学者 ▶ physics 名 物理学 ▶ physician 名 内科医
☐ **pile** 動 名 [páil] 積み重ねる，堆積，多数	▶ pileup 名 玉突き衝突
☐ **point** 名 動 [pɔ́int] 先端，点，要点，(指し)示す	▶ pointed 形 とがった，鋭い ▶ pointer 名 指針，指し示す人[もの]
☐ **pole** 名 [póul] 柱，さお，棒	*cf.* pole 名 極 the South Pole 南極
☐ **policy** 名 [pálәsi] 政策，方針，(個人の)主義	the government's policies on education 政府の教育方針 It's my policy not to speak ill of others. 人の悪口を言わないというのが私のポリシーだ。
☐ **polish** 動 [páliʃ] 磨く，光らせる	▶ polished 形 磨き上げた，洗練された
☐ **polite** 形 [pәláit] ていねいな，礼儀正しい	反 rude 形 失礼な，無礼な ▶ politely 副 ていねいに，礼儀正しく
☐ **portable** 形 [pɔ́ːrtәbl] 携帯用の	a portable radio 携帯型ラジオ ▶ portability 名 携帯性，通用性
☐ **portion** 名 [pɔ́ːrʃәn] 部分，分け前	a portion of ～ ～の１人前
☐ **post** 動 名 [póust] 掲示する，柱	▶ poster 名 ポスター，広告ビラ，はり札 *cf.* post 名 動 地位，部署，配置する *cf.* post 名 動 郵便，投函する
☐ **postpone** 動 [poustpóun] 延期する	▶ postponed 形 延期の，後置の ▶ postponement 名 延期，後回し
☐ **potential** 名 形 [pәténʃәl] 可能性(がある)	▶ potentiality 名 潜在的可能性

☐ **poverty** 名 [pávərti] 貧乏，欠乏	in poverty　貧困状態で ▶ poor　形 貧しい
☐ **practical** 形 [prǽktikəl] 実際の，実用的な，現実的な	▶ practically　副 実際には ▶ practice　名 習慣，実行 in practice　実際は
☐ **praise** 名 動 [préiz] 賞賛(する)	in praise of ～　～をほめたたえて 反 blame　動 非難する
☐ **precious** 形 [préʃəs] 貴重な，高価な	precious metal　貴金属 ▶ preciousness　名 貴重さ
☐ **precise** 形 [prisáis] 正確な，精密な	▶ precisely　副 正確に，まったくそのとおり ▶ precision　名 正確，精密
☐ **predict** 動 [pridíkt] 予言する，予報する	▶ prediction　名 予言，予報
☐ **prepare** 動 [pripέər] 準備[用意]をする	▶ preparation　名 準備，用意 ▶ preparatory　形 準備の ▶ prepared　形 準備ができている
☐ **preserve** 動 名 [prizə́ːrv] 保存[保護]する，禁猟区	類 conserve　動 保護する ▶ preservation　名 維持[保存]すること，貯蔵
☐ **pretend** 動 [priténd] 振りをする，偽る	▶ pretender　名 振りをする人，詐称者 ▶ pretending　形 うわべを飾る，偽りの ▶ pretension　名 見せかけ
☐ **prevent** 動 [privént] 妨げる，阻止する	prevent *A* from *doing*　A が～するのを妨げる ▶ prevention　名 妨害，予防
☐ **previous** 形 [príːviəs] 以前の，先の	反 following　形 次の，次に来る ▶ previously　副 以前に，前もって
☐ **primary** 形 [práimeri] 主要な，初歩の	▶ primarily　副 第一に，元来 ▶ prime　形 主要な，最初の ▶ primitive　形 原始の，旧式の

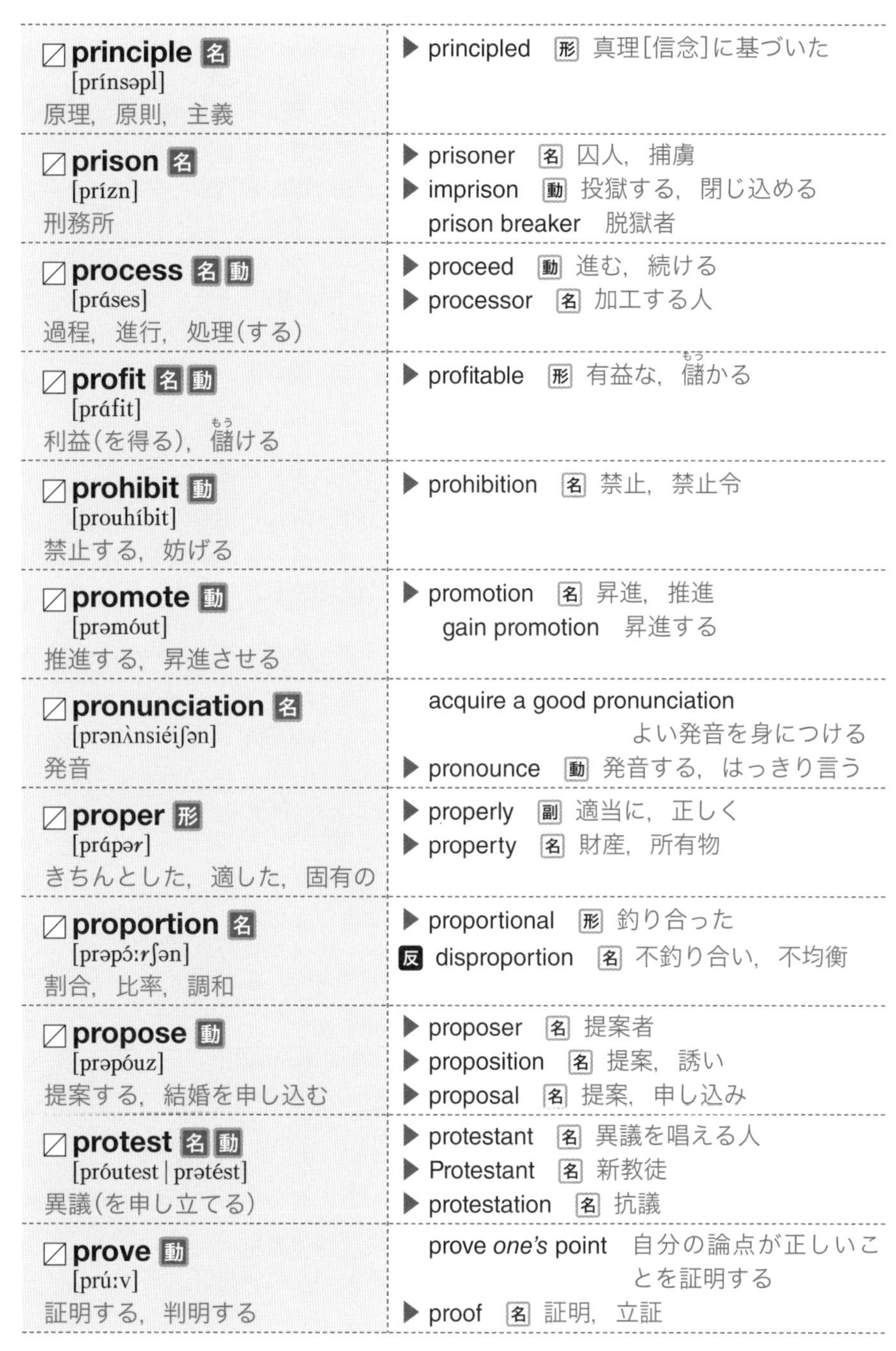

☐ **principle** 名 [prínsəpl] 原理，原則，主義	▶ principled 形 真理[信念]に基づいた
☐ **prison** 名 [prízn] 刑務所	▶ prisoner 名 囚人，捕虜 ▶ imprison 動 投獄する，閉じ込める prison breaker 脱獄者
☐ **process** 名 動 [práses] 過程，進行，処理(する)	▶ proceed 動 進む，続ける ▶ processor 名 加工する人
☐ **profit** 名 動 [práfit] 利益(を得る)，儲(もう)ける	▶ profitable 形 有益な，儲(もう)かる
☐ **prohibit** 動 [prouhíbit] 禁止する，妨げる	▶ prohibition 名 禁止，禁止令
☐ **promote** 動 [prəmóut] 推進する，昇進させる	▶ promotion 名 昇進，推進 gain promotion 昇進する
☐ **pronunciation** 名 [prənʌnsiéiʃən] 発音	acquire a good pronunciation よい発音を身につける ▶ pronounce 動 発音する，はっきり言う
☐ **proper** 形 [prápər] きちんとした，適した，固有の	▶ properly 副 適当に，正しく ▶ property 名 財産，所有物
☐ **proportion** 名 [prəpɔ́ːrʃən] 割合，比率，調和	▶ proportional 形 釣り合った 反 disproportion 名 不釣り合い，不均衡
☐ **propose** 動 [prəpóuz] 提案する，結婚を申し込む	▶ proposer 名 提案者 ▶ proposition 名 提案，誘い ▶ proposal 名 提案，申し込み
☐ **protest** 名 動 [próutest | prətést] 異議(を申し立てる)	▶ protestant 名 異議を唱える人 ▶ Protestant 名 新教徒 ▶ protestation 名 抗議
☐ **prove** 動 [prúːv] 証明する，判明する	prove *one's* point 自分の論点が正しいことを証明する ▶ proof 名 証明，立証

☐ **provide** 動 [prəváid] 供給する，備える	▶ provided 接 もし～ならば ▶ provision 名 供給，条件 ▶ provisional 形 仮の，臨時の
☐ **publish** 動 [pʌ́bliʃ] 出版[発行]する	▶ publicity 名 周知，広告，評判 ▶ publisher 名 出版(業)者 ▶ publishing 名 出版
☐ **punish** 動 [pʌ́niʃ] 罰する	▶ punishable 形 罰すべき ▶ punishment 名 罰
☐ **purchase** 動 名 [pə́ːrtʃəs] 購入する，購入(品)	▶ purchaser 名 買い手，購買者
☐ **purpose** 名 動 [pə́ːrpəs] 目的，意図(する)，意志	on purpose わざと，意図的に a woman of purpose 意志の強い女性
☐ **puzzle** 名 動 [pʌ́zl] 謎，難問，悩ませる，悩む	▶ puzzled 形 困惑した，混乱した
☐ **qualify** 動 [kwáləfài] 資格を与える	▶ qualified 形 資格のある，適任の ▶ qualification 名 資格(証明書)，能力
☐ **quantity** 名 [kwántəti] 量	a quantity of ～ 多量の～ ▶ quality 名 質
☐ **quarter** 名 [kwɔ́ːrtər] ４分の１	quarter hour 15 分間 ▶ quartering 名 ４つに分けること ▶ quarterly 名 形 副 年４回(の)
☐ **quit** 動 [kwít] やめる，放棄する	変化 **quit - quit - quit** 変化 **quit - quitted - quitted** quit *doing* ～するのをやめる
☐ **range** 名 動 [réindʒ] 範囲，配置(する)，変動する	out of range 見えない[聞こえない]ところで，圏外で
☐ **rare** 形 [réər] まれな，珍しい	rare metals 希少金属 ▶ rarely 副 めったに～ない

☐ **rather** 副 [rǽðər] むしろ，かなり	rather *A* than *B*　BよりもむしろA rather than ～　～の代わりに
☐ **react** 動 [riǽkt] 反応する	She reacted very badly. 彼女はとてもひどい反応をした。 ▶ reaction　名 反応，反発，反動
☐ **reality** 名 [riǽləti] 現実，現実性	in reality　実際には，現実には ▶ realistic　形 現実的な，リアルな
☐ **recall** 動 名 [rikɔ́ːl] 思い出す[出させる]，回想	類 recollect　動 思い出す，回想する
☐ **recognize** 動 [rékəgnàiz] 認識する，見分ける	My dog recognizes me by my voice. 私の犬は声で私のことがわかる。 ▶ recognition　名 認識，承認，見覚え
☐ **refer** 動 [rifə́ːr] 参照する，言及する	▶ reference　名 参考，参照 reference book　参考図書
☐ **reflect** 動 [riflékt] 反射[反響]する，熟考する	▶ reflection　名 反響，反射，影響
☐ **refuse** 動 [rifjúːz] 拒絶する，辞退する	▶ refusal　名 拒絶，拒否
☐ **regard** 動 名 [rigáːrd] みなす，関係，点	regard *A* as ～　Aを～とみなす
☐ **region** 名 [ríːdʒən] 地方，地域	▶ regional　形 地方の
☐ **register** 動 [rédʒistər] 記録する，登録する	▶ registered　形 登録された，公認の ▶ registration　名 登録(人員)
☐ **regret** 名 動 [rigrét] 後悔(する)	I deeply regret what I did. 私は自分のしたことをとても後悔しています。 ▶ regrettable　形 残念な，遺憾な

☐ **regulate** 動 [régjulèit] 規制する	▶ regular 形 規則正しい，いつもの ▶ regulation 名 規則，規制
☐ **reject** 動 [ridʒékt] 拒絶する	▶ rejection 名 拒絶
☐ **relate** 動 [riléit] 関連づける	▶ relation 名 関係，関連 ▶ relative 形名 相対的な，親戚 ▶ relationship 名 関係
☐ **relieve** 動 [rilíːv] 軽減する，安心させる	▶ relief 名 緩和，除去，安心 with relief ほっとして
☐ **religion** 名 [rilídʒən] 宗教	▶ religious 形 宗教(上)の
☐ **remind** 動 [rimáind] 思い出させる	That reminds me. それで思い出した。 ▶ reminder 名 思い出させる人(物)
☐ **remote** 形 [rimóut] 遠い，離れた，かすかな	remote control 遠隔操作，リモコン
☐ **renewed** 形 [rinjúːd] 新たな，更新された	▶ renew 動 更新する，修復する ▶ renewal 名 更新，修復，再開
☐ **repay** 動 [ripéi] (お金を)返す，報いる	repayment 名 返済(金)，報酬，報復
☐ **replace** 動 [ripléis] 取って代わる，取り替える	John has replaced Mike as leader of the team. ジョンがマイクに代わってチームのリーダーになった。 ▶ replacement 名 交替，交換，後任
☐ **represent** 動 [rèprizént] 表す，代表する	▶ representation 名 表現，代表 ▶ representative 名形 代表(者)，代理の
☐ **reputation** 名 [rèpjutéiʃən] 評判，名声	▶ repute 名動 評判，みなす ▶ reputed 形 評判の 類 fame 名 名声，信望

☐ **resemble** 動 [rizémbl] ～に似ている	▶ resemblance 名 似ていること，類似点
☐ **residence** 名 [rézədəns] 居住(地)・住宅	▶ resident 名形 居住者，居住している ▶ residential 形 居住の
☐ **resign** 動 [rizáin] 辞職[辞任]する	▶ resignation 名 辞職，辞任 ▶ resigned 形 あきらめた
☐ **resist** 動 [rizíst] 抵抗[反抗]する	▶ resistance 名 抵抗，反抗
☐ **resolve** 動 [rizálv] 決定する，決心する	▶ resolution 名 解答，解決，決意 ▶ resolved 形 決心した
☐ **resource** 名 [ríːsɔːrs] 能力，資源，資産	▶ resourceful 形 機知に富んだ，資源に富んだ
☐ **respect** 動名 [rispékt] 尊敬(する)，尊重(する)，事項	in respect of ～　～に関しては ▶ respectable 形 きちんとした，まともな
☐ **respond** 動 [rispánd] 反応する，答える	The actor didn't respond to any questions. その俳優はどんな質問にも答えなかった。 ▶ response 名 反応，応答
☐ **restore** 動 [ristɔ́ːr] 回復させる，元へ戻す	▶ restoration 名 復活，回復 the Meiji Restoration　明治維新
☐ **restrict** 動 [ristríkt] 制限[限定]する	▶ restriction 名 制限，限定 ▶ restrictive 形 限定する
☐ **retire** 動 [ritáiər] 退職する，引退する	retire at (the age of) 65　65 歳で退職する ▶ retirement 名 退職，引退，余生
☐ **reveal** 動 [rivíːl] 明らかにする，暴露する	▶ revealing 形 啓発的な 類 disclose 動 明らかにする 反 conceal 動 隠す

☐ **reverse** 名 形 動 [rivə́ːrs] 逆[反対]（の），逆にする	▶ reversible 形 逆にできる，裏返しても使える
☐ **review** 名 動 [rivjúː] 批評（する），再検討（する）	▶ reviewer 名 批評家
☐ **revise** 動 [riváiz] 改訂[修正]する，変更する	▶ revision 名 改訂，修正
☐ **revolution** 名 [rèvəljúːʃən] 革命，回転	▶ revolve 動 回転する（させる） ▶ revolutionary 形 革命の，革新的な
☐ **reward** 名 動 [riwɔ́ːrd] 報酬（を与える），報いる	▶ rewarding 形 努力のしがいのある
☐ **rhythm** 名 [ríðm] リズム，律動	▶ rhythmic 形 リズミカルな
☐ **roast** 動 名 [róust] （肉などを）焼く（こと）	roast beef ローストビーフ 類 bake 動 （パン・魚などを）焼く
☐ **rob** 動 [rάb] 盗む，奪う	▶ robber 名 泥棒，強盗 ▶ robbery 名 強盗，略奪
☐ **room** 名 [rúːm] 余地，場所，部屋	make room for ～ ～のための場所を空ける
☐ **rotate** 動 [róuteit] 回転する[させる]	▶ rotation 名 交替，回転
☐ **rough** 名 [rʌ́f] 乱暴な，粗野な，荒れた	▶ roughly 副 おおよそ，乱暴に
☐ **routine** 名 形 [ruːtíːn] 決まった手順，日常の（仕事）	▶ route 名 道，ルート

☐ **rub** 動 [rʌ́b] こする，磨く	rub *one's* eyes　目をこする ▶ rubber 名 ゴム，黒板ふき
☐ **rude** 形 [rúːd] 無礼な，粗野な，下品な	類 impolite 形 無礼な，無作法な ▶ rudeness 名 失礼，無礼
☐ **ruin** 名 動 [rúːin] 破壊(する)，破産(する)	bring ～ to ruin　～を破滅させる ▶ ruined 形 破壊された，廃墟(はいきょ)となった
☐ **rumor** 名 動 [rúːmər] うわさ(する)，風評	spread rumors　うわさを広める ▶ rumored 形 うわさの
☐ **rural** 形 [rúərəl] 田舎[田園]の	反 urban 形 都市の，都会の
☐ **rush** 名 動 [rʌ́ʃ] 突進(する)，殺到(する)	gold rush　ゴールドラッシュ rush hour　ラッシュアワー
☐ **sacrifice** 名 動 [sǽkrəfàis] 犠牲(にする)	▶ sacrificial 形 犠牲の，犠牲的な，いけにえの
☐ **satellite** 名 [sǽtəlàit] (人工)衛星	artificial satellite　人工衛星 satellite broadcasting　衛星放送
☐ **satisfy** 動 [sǽtisfài] 満足させる，満たす	▶ satisfaction 名 満足，充足(感) ▶ satisfactory 形 申し分ない ▶ satisfied 形 満足した
☐ **scan** 動 [skǽn] ざっと見る，入念に調べる	▶ scanner 名 スキャナー
☐ **scarce** 形 [skɛ́ərs] 乏しい	▶ scarcely 副 ほとんど～ない ▶ scarcity 名 不足，欠乏
☐ **scent** 名 動 [sént] 匂い，香り，かぎつける	類 fragrance 名 香り

☐ **scholar** 名 [skálər] 学者	▶ scholarship 名 学問，奨学金
☐ **scold** 動 [skóuld] しかる，とがめる	類 tell off ～　～をしかる ▶ scolding 名 小言，説教
☐ **scratch** 動 名 [skrætʃ] ひっかく(こと)，かすり傷	scratch card　スクラッチカード
☐ **section** 名 動 [sékʃən] 部分，課，地区，区分する	▶ sectional 形 部門の 類 division 名 会社の部門[課，部]
☐ **seek** 動 [síːk] 探し求める	hide-and-seek　かくれんぼ ▶ seeker 名 捜索者，求める人
☐ **selfish** 形 [sélfiʃ] 利己的な，わがままな	▶ selfishly 副 自分本位に，利己的に ▶ selfishness 名 わがまま
☐ **semester** 名 [siméstər] (２学期制の)学期	類 term 名 (３学期制の)学期
☐ **senior** 形 名 [síːnjər] 年上の，先輩(の)	反 junior 形 名 年下(の)，後輩(の)
☐ **sense** 名 動 [séns] 感覚，意味，感じる	▶ sensible 形 賢明な，分別のある ▶ sensitive 形 敏感な ▶ sensation 名 感覚，興奮
☐ **separate** 動 形 [sépərèit | sépərət] 分ける，別れる，離れた	▶ separately 副 別々に ▶ separation 名 分離
☐ **series** 名 [síəriːz] 連続，シリーズ	a series of ～　一連の～ 類 sequence 名 連続
☐ **settle** 動 [sétl] 決める，落ち着かせる	▶ settlement 名 解決，定住

☐ **severe** 形 [səvíər] 厳しい，厳格な，シビアな	▶ severely 副 厳しく，激しく，簡素に ▶ severeness 名 厳しさ
☐ **shell** 名 [ʃél] 殻，甲，砲弾	▶ shellfish 名 貝，甲殻類動物（エビ，カニなど）
☐ **short-term** 形 [ʃɔ́ːrttə́ːrm] 短期間の	▶ term 名 期間，学期 ▶ short-tempered 形 短気な
☐ **shrink** 動 名 [ʃríŋk] 縮む，縮ませる，収縮	変化 **shrink - shrank - shrunk**
☐ **signature** 名 [sígnətʃər] 署名	▶ sign 名 標識，形跡，記号，署名する ▶ autograph 名 （有名人の）サイン
☐ **significant** 形 [signífikənt] 重大な	▶ significance 名 重要性 ▶ signify 動 示す，重要である
☐ **sincere** 形 [sinsíər] 心からの，誠実な	▶ sincerely 副 心から Sincerely yours 敬具
☐ **situation** 名 [sìtʃuéiʃən] 状況，情勢，立場，場所	▶ situate 動 （ある場所に）置く，位置づける ▶ situated 形 （ある場所に）位置している
☐ **slight** 形 [sláit] わずかの，少しの	▶ slightly 副 わずかに
☐ **smash** 名 動 [smǽʃ] 粉砕（する），衝突（する）	smash hit （流行などの）大当たり，大ヒット
☐ **soak** 動 名 [sóuk] 浸す（こと），ずぶ濡（ぬ）れになる	▶ soaked 形 ずぶ濡（ぬ）れの，びしょびしょの
☐ **solar** 形 [sóulər] 太陽の，太陽光線を利用した	solar power 太陽エネルギー solar system 太陽系

☐ **solution** 名 [səlúːʃən] 解答，解決策，溶解	There is no simple solution. 簡単な解決法はない。 ▶ solve 動 解決する，解答する
☐ **somehow** 副 [sʌ́mhàu] 何とかして，ともかく	▶ sometime 副 いつか，あるとき ▶ somewhere 副 どこかで[に]
☐ **sorrow** 名 動 [sárou] 悲しみ，悲しむ，嘆く	▶ sorrowful 形 悲しい 類 sad 形 悲しい 類 grief 名 悲痛
☐ **sort** 名 動 [sɔ́ːrt] 種類，性質，分類する	all sorts of ～　あらゆる種類の～ sort of ～　いくぶん，ちょっと 類 kind 名 種類
☐ **source** 名 [sɔ́ːrs] 原因，水源(地)，出典	▶ sourcebook 名 原典，原本
☐ **souvenir** 名 [sùːvəníər] 土産，記念品，形見	souvenir sheet　記念切手シート
☐ **spill** 動 名 [spíl] こぼれる(こと)，こぼす	変化 **spill - spilled - spilled** 変化 **spill - spilt - spilt**
☐ **spoil** 動 [spɔ́il] 甘やかす，だめにする	▶ spoiled 形 台なしになった，(甘やかされて)わがままになった ▶ spoiler 名 台なしにする人[物]，甘やかす人
☐ **sponsor** 名 動 [spánsər] 後援者，スポンサー（になる）	▶ sponsored 形 スポンサーつきの sponsored walk　チャリティーウオーク
☐ **stable** 形 [stéibl] 安定した，しっかりした	▶ stability 名 安定性
☐ **standard** 名 形 [stǽndərd] 標準(の)，基準(の)，水準	standard language　標準語 standard of living　生活水準
☐ **steady** 形 [stédi] 安定した，ぐらつかない	▶ steadily 副 きちんと 類 firm 形 安定した 反 unsteady 形 不安定な

☐ **stir** 動 名 [stə́ːr] かき混ぜる(こと)，大騒ぎ	stir up （面倒事など）を引き起こす，（興奮など）をかき立てる
☐ **stock** 動 名 [stάk] 蓄える，株，在庫	▶ livestock 名 家畜 ▶ stockholder 名 株主
☐ **storage** 名 [stɔ́ːridʒ] 貯蔵，保管，倉庫	▶ store 動 蓄える，貯蔵する in store 蓄えて，用意して ▶ storekeeper 名 商店経営者
☐ **strengthen** 動 [stréŋkθən] 強化する，力づける	▶ strength 名 力，強さ，体力 ▶ strong 形 強い
☐ **stretch** 動 名 [strétʃ] 伸ばす，張りつめる，広がり	stretch *oneself* 身体を思いきり伸ばす ▶ stretcher 名 ストレッチャー
☐ **strict** 形 [stríkt] 厳しい，厳密な	▶ strictly 副 厳格に，厳密に strictly speaking 厳密に言えば
☐ **strike** 動 名 [stráik] 打つ(こと)，ストライキ	変化 **strike - struck - struck** ▶ striking 形 人目を引く 類 hit 動 打つ，たたく
☐ **structure** 名 動 [strʌ́ktʃər] 構造，構成(する)	▶ structural 形 構造(上)の
☐ **struggle** 動 名 [strʌ́gl] 努力する，もがく，もがき	struggle to *do* ～しようともがく ▶ struggling 形 もがく，あがく，奮闘する
☐ **submit** 動 [səbmít] 提出する，服従する[させる]	submit *oneself* to ～ ～を甘受する ▶ submission 名 服従
☐ **subscribe** 動 [səbskráib] 予約購読する，応募する	▶ subscriber 名 （予約）購読者 ▶ subscription 名 （予約）購読(料)
☐ **substitute** 動 形 [sʌ́bstətjùːt] 代理になる，代用する，代理の	▶ substituted 形 置換した ▶ substitution 名 代用，代理

☐ **subtle** 形 [sʌ́tl] 微妙な，鋭い，巧妙な	▶ subtly 副 微妙に，巧妙に，ずるく
☐ **suburb** 名 [sʌ́bəːrb] 郊外，近郊	▶ suburban 形名 郊外の，郊外居住者
☐ **sudden** 形 [sʌ́dn] 突然の，不意の	(all) of a sudden　突然に，不意に ▶ suddenly 副 突然
☐ **sue** 動 [súː] 告訴する	sue for damages　損害賠償を求める sue for divorce　離婚訴訟を起こす
☐ **suffer** 動 [sʌ́fər] 苦しむ，悩む	suffer from ～　(病気など)にかかる ▶ suffering 名 苦しむこと，苦痛，苦難
☐ **sum** 名動 [sʌ́m] 合計(する)，要約する	in sum　要するに ▶ summary 名形 要約(の) ▶ summing-up 名 要約，概要
☐ **summit** 名形 [sʌ́mit] 頂上，絶頂，首脳(レベルの)	summit conference　首脳会議 類 top 名 頂上
☐ **supply** 名動 [səplái] 供給(する)，補給(する)	in short supply　不足して ▶ supplement 名 補足，栄養補助食品 ▶ supplier 名 供給者[会社, 国], 販売会社
☐ **suppress** 動 [səprés] 鎮圧する，抑える，我慢する	類 put down　鎮圧する ▶ suppression 名 鎮圧
☐ **surf** 動 [sə́ːrf] サイトを次々見る，波乗りする	▶ surfing 名 波乗り
☐ **surface** 名形 [sə́ːrfis] 表面(の)，外見，外面の	sur- (上に) + face (顔) → surface surface tension　表面張力
☐ **surgery** 名 [sə́ːrdʒəri] 外科，手術	▶ surgeon 名 外科医，軍医 ▶ surgical 形 外科の，手術の

見出し語	関連語・用例
☐ **surrender** 動 名 [sərénd*ə*r] 降伏する，自首	surrender *oneself* to ～　～に身をゆだねる ▶ render 動 与える
☐ **survey** 名 動 [sə́ːrvei | sərvéi] 調査(する)，概観(する)	survey course　入門講座，概論
☐ **survive** 動 [sərváiv] 生き残る，長生きする	▶ survival 名 生き残ること，生存者 ▶ survivor 名 生存者
☐ **suspect** 動 名 [səspékt | sʌ́spekt] 疑う，感づく，容疑者	▶ suspicious 形 怪しい ▶ suspicion 名 疑い，嫌疑
☐ **symbol** 名 [símbəl] 象徴，シンボル，記号	a status symbol　地位の象徴 ▶ symbolic 形 象徴的な
☐ **sympathy** 名 [símpəθi] 同情，共感	in sympathy with ～　～に同情して，～を支持して ▶ sympathetic 形 同情的な，好意的な
☐ **symptom** 名 [símptəm] 症状，兆候，しるし	▶ symptomatic 形 兆候となる，症状[候]に関する
☐ **tail** 名 動 [téil] 尾，尻尾，後にくっついていく	tail end　末端，後尾 tail fin　尾びれ tail light　尾灯
☐ **target** 名 動 [tɑ́ːrgit] 目標，標的(にする)	above target　目標を上回って reach[achieve] a target　目標を達成する
☐ **task** 名 [tǽsk] (つらい)仕事，職務	task force　対策本部 類 work 名 仕事，作業
☐ **technique** 名 [tekníːk] 手法，(専門)技術	▶ technical 形 技術上の，専門的な ▶ technology 名 科学技術，テクノロジー
☐ **temporary** 形 [témpərèri] 臨時の，一時の，仮の	反 permanent 形 永続する ▶ contemporary 形 同時代の，現代の，当代の

☐ **tempt** 動 [témpt] 誘惑する，～する気にさせる	▶ temptation 名 誘惑 ▶ tempting 形 魅力的な
☐ **tension** 名 [ténʃən] 緊張，不安，張り	in tension 緊迫状態で feel tension 緊張する
☐ **terminal** 形 名 [tə́ːrmənl] 末期の，終点(の)	terminal cancer 末期がん ▶ terminate 動 終結させる，終わる
☐ **territory** 名 [térətɔ̀ːri] 領土，領域，広大な土地，分野	▶ territorial 形 領土の，土地の
☐ **theory** 名 [θíːəri] 学説，理論	▶ theoreitical 形 理論的な，理論(上)の
☐ **thickly** 副 [θíkli] 密に，おびただしく，不明瞭に	▶ thicken 動 濃くする，複雑にする ▶ thick 形 濃い，太い(⇔ thin 薄い)
☐ **thief** 名 [θíːf] 泥棒	複 thieves 類 robber 名 強盗 類 burglar 名 押し込み夜盗，強盗
☐ **thread** 名 動 [θréd] (より)糸，縫うように通す	a needle and thread 糸を通した針
☐ **threat** 名 [θrét] 脅威，脅し，(悪い)兆し	▶ threaten 動 脅かす，差し迫っている ▶ threatening 形 脅迫的な
☐ **three-dimensional** 名 [θríː-diménʃənl] 三次元の	同 3-D, 3D
☐ **thrill** 動 名 [θríl] ゾクゾクさせる(こと)	▶ thrilling 形 ゾクゾク[わくわく]させる，スリル満点の ▶ thriller 名 ゾクゾク[わくわく]させるもの[人]
☐ **thus** 副 [ðʌ́s] こうして，このように	類 in this way このように

☐ **tide** 名 [táid] 潮，潮流，流れ	▶ tidal 形 潮の[による]，干満[潮流]の tidal wave　高波，津波
☐ **timber** 名 [tímbər] 材木，立ち木，角材	timber land　森林地 ▶ timbering 名 建築用材，木組み
☐ **tolerate** 動 [tálərèit] 容認する，耐える	He couldn't tolerate the noise anymore. 彼はその騒音にもう耐えられなかった。 ▶ tolerant 形 寛容な，耐性のある
☐ **toxic** 形 [táksik] 有毒な，中毒性の	toxic waste　有害廃棄物 類 poisonous 形 有毒な
☐ **trace** 動 名 [tréis] 追跡する，たどる，形跡	▶ traceability 名 起源[跡]をたどれること ▶ tracer 名 追跡者，逆探知機，捜索係
☐ **tragedy** 名 [trǽdʒədi] 悲劇，惨事	Greek tragedy　ギリシャ悲劇 ▶ tragic 形 悲劇的な，いたましい
☐ **transfer** 動 名 [trænsfə́ːr | trǽnsfər] 移す，移る，移転(させる)	trans（越えて，別の場所へ）＋ fer（運ぶ） → transfer 類 move 動 移転[移動]する
☐ **transform** 動 [trænsfɔ́ːrm] 変形[変質]させる	▶ transformation 名 変化，変形，変質
☐ **translate** 動 [trænsléit] 訳す，翻訳する	▶ translation 名 翻訳 ▶ translator 名 翻訳家
☐ **trap** 名 動 [trǽp] わな(にかける)，閉じ込める	A fox was caught in a trap. 狐がわなにかかった。 trap him into confession　彼をだまして白状させる
☐ **treat** 動 名 [tríːt] 取り扱う，治療する，楽しみ，おごり	He treated me to dinner. 彼は夕食をおごってくれた。 ▶ treatment 名 治療，取り扱い
☐ **trend** 名 動 [trénd] 傾向(を取る)，流行，向き	▶ trendy 名 形 最新流行(の) 類 tendency 名 傾向，風潮

☐ **trial** 名 [tráiəl] 裁判，審理，試み，試練	trial period　試用期間 trial and error　試行錯誤 trial run　（乗り物の）試運転，試乗
☐ **tribe** 名 [tráib] 部族，種族	▶ tribal　形 部族の，種族の
☐ **trick** 名 動 [trík] こつ，手品，トリック，だます	trick of [for] *doing*　～するこつ do the trick　目的を達する
☐ **troop** 名 動 [trú:p] 団，軍隊，ぞろぞろ集まる	▶ trooper　名 騎兵
☐ **trustworthy** 形 [trʌ́stwə̀:rði] 信頼できる	反 untrustworthy　形 信頼できない，当てにならない
☐ **tube** 名 [tjú:b] 管，パイプ，チューブ	a glass tube　ガラス管 a tooth-paste tube　練り歯磨きのチューブ
☐ **tune** 名 動 [tjú:n] 調和（させる，する），調べ	in tune　調子が合って ▶ tuned　形 正常な，狂いのない ▶ tuner　名 調律師，チューナー
☐ **undertake** 動 [ʌ̀ndərtéik] 引き受ける，着手する	変化 **undertake - undertook - undertaken** ▶ undertaking　名 事業，企て，（たいへんな）仕事 ▶ undertaker　名 引受人
☐ **unique** 形 [ju:ní:k] 独特な，ユニークな，唯一の	▶ uniquely　副 比類なく，独自に
☐ **unit** 名 [jú:nit] 一団，単位	an intensive care unit　集中治療室（ICU） ▶ unite　動 一体化する，団結させる
☐ **unless** 接 前 [ənlés] ～でない限り，～を除いては	類 if ～ not　もし～でなければ 類 except　前 ～を除いては
☐ **upset** 形 名 [ʌpsét] 動転した，混乱した，転覆	▶ upsetting　形 動揺させるような

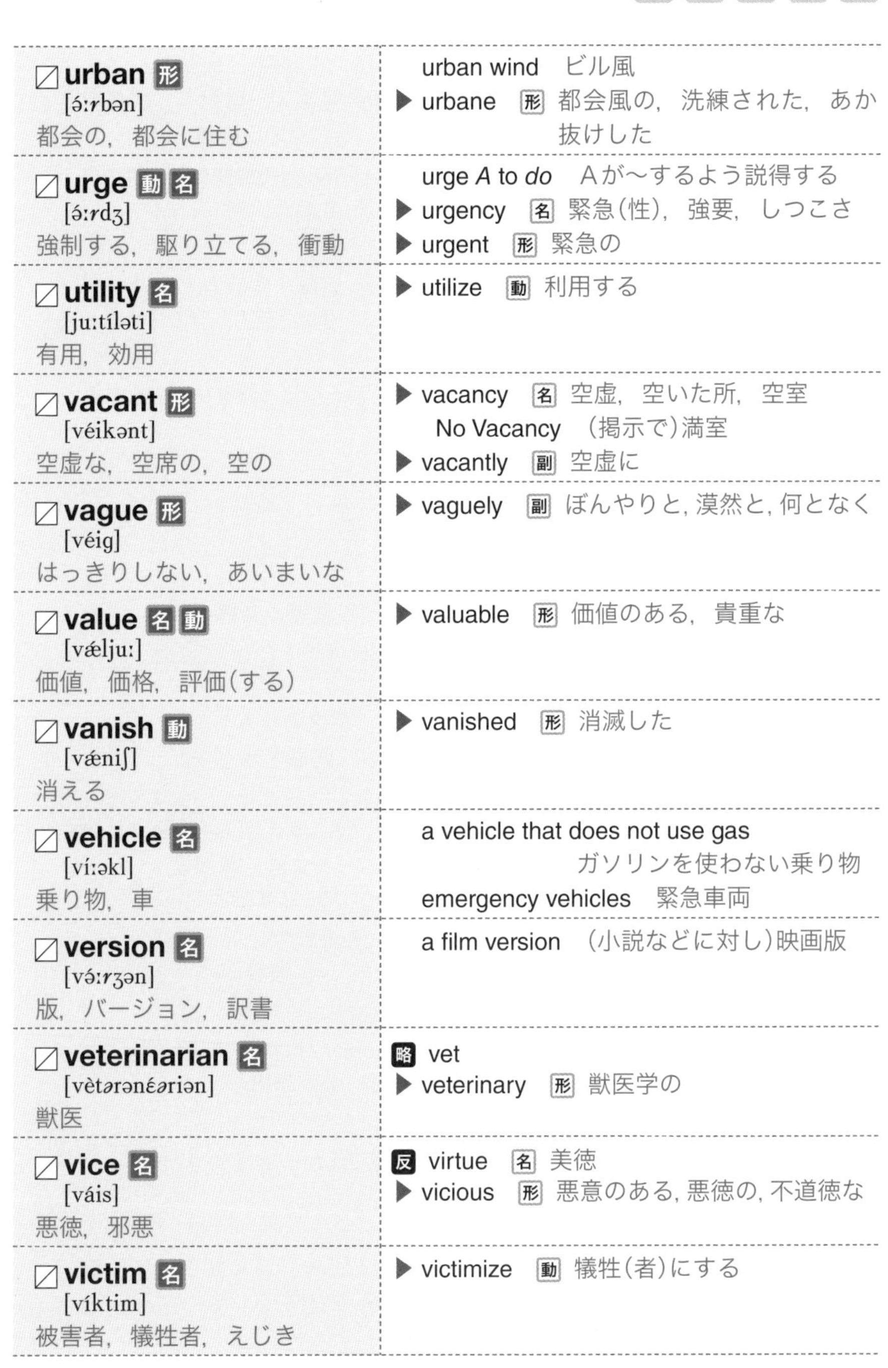

☐ **urban** 形 [ə́ːrbən] 都会の，都会に住む	urban wind　ビル風 ▶ urbane 形 都会風の，洗練された，あか抜けした
☐ **urge** 動 名 [ə́ːrdʒ] 強制する，駆り立てる，衝動	urge *A* to *do*　Aが～するよう説得する ▶ urgency 名 緊急(性)，強要，しつこさ ▶ urgent 形 緊急の
☐ **utility** 名 [juːtíləti] 有用，効用	▶ utilize 動 利用する
☐ **vacant** 形 [véikənt] 空虚な，空席の，空の	▶ vacancy 名 空虚，空いた所，空室 No Vacancy　(掲示で)満室 ▶ vacantly 副 空虚に
☐ **vague** 形 [véig] はっきりしない，あいまいな	▶ vaguely 副 ぼんやりと，漠然と，何となく
☐ **value** 名 動 [vǽljuː] 価値，価格，評価(する)	▶ valuable 形 価値のある，貴重な
☐ **vanish** 動 [vǽniʃ] 消える	▶ vanished 形 消滅した
☐ **vehicle** 名 [víːəkl] 乗り物，車	a vehicle that does not use gas　ガソリンを使わない乗り物 emergency vehicles　緊急車両
☐ **version** 名 [və́ːrʒən] 版，バージョン，訳書	a film version　(小説などに対し)映画版
☐ **veterinarian** 名 [vètərənέəriən] 獣医	略 vet ▶ veterinary 形 獣医学の
☐ **vice** 名 [váis] 悪徳，邪悪	反 virtue 名 美徳 ▶ vicious 形 悪意のある，悪徳の，不道徳な
☐ **victim** 名 [víktim] 被害者，犠牲者，えじき	▶ victimize 動 犠牲(者)にする

☐ **view** 名 動 [vjúː] 風景，見晴らし，考察(する)	類 landscape 名 風景，景色 ▶ viewer 名 見る人，見物人，観察者 ▶ viewpoint 名 見地，観点
☐ **violence** 名 [váiələns] 暴力，激しさ	domestic violence 家庭内暴力 ▶ violent 形 乱暴な，激しい
☐ **vital** 形 [váitl] 活気のある，生気にあふれた	▶ vitality 名 活気，生命力，活力 ▶ vitalize 動 生命[活力，活気]を与える
☐ **vocabulary** 名 [voukǽbjulèri] 語彙(力)	vocabulary entry (辞書の)見出し語
☐ **vomit** 動 名 [vámit] 吐く，もどす，嘔吐	同 throw up 吐く，もどす
☐ **vote** 名 動 [vóut] 投票(する，によって決める)	▶ voter 名 投票者，有権者 ▶ voting 名 投票
☐ **wage** 名 動 [wéidʒ] 給料，賃金	wage cut 賃金カット wage level 賃金水準
☐ **wander** 動 [wándər] さまよう，歩き回る	▶ wanderer 名 歩き回る人[動物]，さまよう人，放浪者 ▶ wandering 形 さすらう
☐ **wave** 名 動 [wéiv] 波，(手)を振って合図する	▶ waved 形 波形の ▶ wavelength 名 波長 ▶ waver 名 動 揺れ(る)
☐ **wheel** 名 動 [hwíːl] 車輪，ハンドル，回転(する)	at the wheel ハンドルを握って ▶ wheelchair 名 車椅子
☐ **whereas** 接 [hwὲərǽz] 一方で，ところが，～に反して	類 while 接 だが一方で
☐ **widely** 副 [wáidli] 広く，広範囲に	be widely known 広く知られている ▶ widen 動 拡大する，広くなる

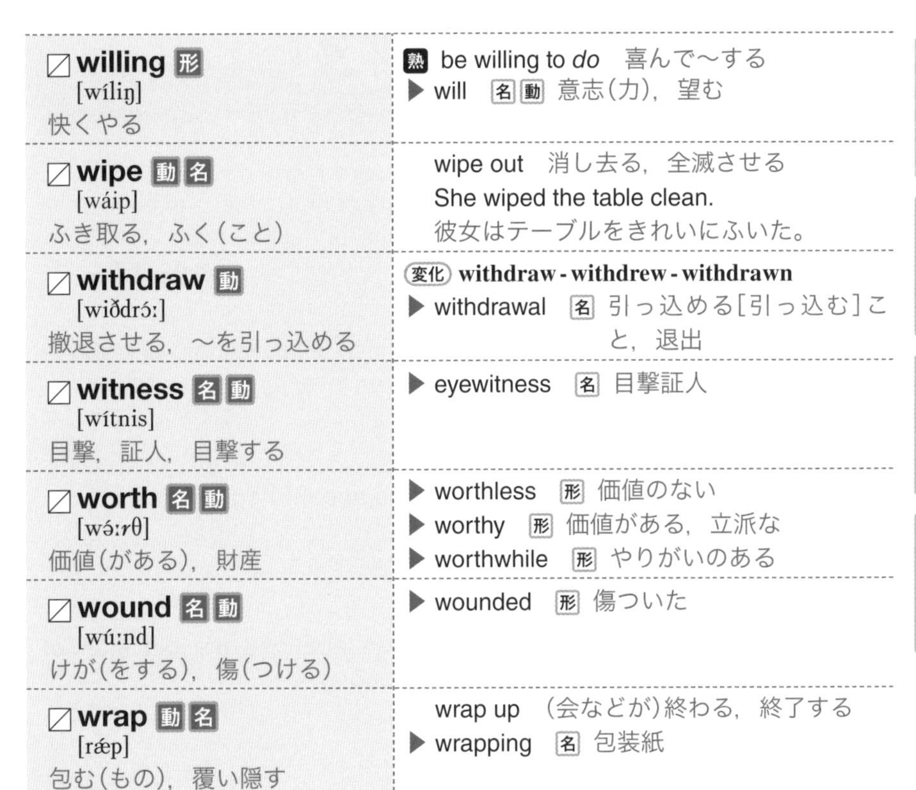

☐ **willing** 形 [wíliŋ] 快くやる	熟 be willing to *do*　喜んで～する ▶ will　名 動 意志(力)，望む
☐ **wipe** 動 名 [wáip] ふき取る，ふく(こと)	wipe out　消し去る，全滅させる She wiped the table clean. 彼女はテーブルをきれいにふいた。
☐ **withdraw** 動 [wiðdrɔ́ː] 撤退させる，～を引っ込める	変化 **withdraw - withdrew - withdrawn** ▶ withdrawal　名 引っ込める[引っ込む]こと，退出
☐ **witness** 名 動 [wítnis] 目撃，証人，目撃する	▶ eyewitness　名 目撃証人
☐ **worth** 名 動 [wə́ːrθ] 価値(がある)，財産	▶ worthless　形 価値のない ▶ worthy　形 価値がある，立派な ▶ worthwhile　形 やりがいのある
☐ **wound** 名 動 [wúːnd] けが(をする)，傷(つける)	▶ wounded　形 傷ついた
☐ **wrap** 動 名 [rǽp] 包む(もの)，覆い隠す	wrap up　(会などが)終わる，終了する ▶ wrapping　名 包装紙

頻出熟語 143

☐ **a great deal** 多量，たくさん	It took **a great deal** of time to choose all the presents for my parents. 両親へのすべての贈り物を選ぶのに**すごく**時間がかかった。
☐ **above all** とりわけ，なかでも	Children need many things, but **above all** they need love. 子どもたちに必要なことはたくさんあるが，**なかでも**愛情が必要だ。
☐ **account for ～** ～の説明をする	There is no **accounting for** tastes. 人の好み**を説明する**ことはできない。
☐ **accuse *A* of *B*** A を B のことで非難する	The woman **accused** the old man **of** stealing her bag. その女性は，彼女のバッグを盗んだ**ことで**老人**を責めた**。
☐ **amount to ～** 合計～になる	The total expense for the project **amounts to** 200 million yen. その事業の経費は**合計**２億円**にのぼる**。
☐ **anything but ～** 少しも～でない	The results of the term examination were **anything but** satisfactory. 期末試験の結果は**少しも**満足のいくもの**ではなかった**。
☐ **as [so] long as ～** ～の限りは	We must continue to study hard **as long as** we live. 我々は生きている**限り**一生懸命学び続けなければならない。
☐ **as to ～** ～に関して	Can I get an explanation **as to** what is going on here? ここで何が起きているのか**について**，私に説明していただけませんか？

熟語	例文
☐ **at a loss** 途方にくれて	The girl was **at a loss** for words before the large audience. 大勢の人の前で，その少女は**途方にくれて**言葉が出なくなった。
☐ **be absorbed in ～** ～に熱中する	A man who **is absorbed in** his work looks animated. 仕事**に熱中している**人は，生き生きしているように見える。
☐ **be acquainted with ～** ～をよく知っている	She **was** well **acquainted with** Japanese classical literature. 彼女は日本の古典文学**をよく知っていた**。
☐ **be bound to *do*** きっと～する，～する義務がある	My brother **is bound to** pass the entrance examination. 兄は**きっと**入学試験に合格**する**だろう。
☐ **be capable of ～** ～することができる	She does not seem to **be capable of** learning from experience. 彼女は経験から学ぶ**ということができ**ないらしい。
☐ **be concerned with ～** ～に関係[関心]がある	It was clear that she **was** not **concerned with** the matter. 彼女がその件**と**無**関係である**ことは明らかだ。
☐ **be convinced of ～** ～を確信している	At first everybody **was convinced of** his innocence. 最初はだれもが彼の無実**を確信していた**。
☐ **be devoted to ～** ～に専念[献身]する	She **is** more **devoted to** studying English than I am. 彼女は私より英語学習**に熱心です**。
☐ **be eager to *do*** 熱心に～したがる	My sister **was eager to** win the first prize in the piano competition. 私の姉は**どうしても**そのピアノコンクールで1位を取り**たかった**。

☐ **be engaged in ～** ～に従事している	My uncle has **been engaged in** foreign trade for many years. 私の叔父は長年海外との貿易**に従事していま す**。
☐ **be fed up with ～** ～に飽き飽きしている	We **are** all **fed up with** his thin excuses. 我々はみんな，彼の見えすいた言い訳**に飽き飽きしている**。
☐ **be independent of ～** ～から自立している	Mike always wanted to **be** completely **independent of** his family. マイクはいつも家族**から**完全に**自立したいと**思っていた。
☐ **be indispensable for ～** ～に不可欠だ	Both air and water **are indispensable for** life. 空気も水も生命**にとって欠くことができない**。
☐ **be obliged to *do*** ～を義務づけられている	Parents **are obliged to** take responsibility for the actions of their children. 親は子どもの行動に責任を負うこと**を義務づけられている。**
☐ **be sick of ～** ～にうんざりしている	People **are sick of** civil war and want it to stop. 人々は内戦**にうんざりしていて**，終わることを望んでいる。
☐ **be up to ～** ～に達している，～次第だ	The student's academic performance **was**n't **up to** the mark. その学生の学業成績は水準**に達していな**かった。
☐ **be well off** 裕福だ	He **is** not as **well off** as he used to be. 彼は昔ほど**裕福で**はない。
☐ **be willing to *do*** 喜んで～する	How much **are** the consumers **willing to** pay for this service? 消費者はこのサービスにいくらなら払う**気になる**だろうね？

☐ **before long** まもなく，近いうちに	I look forward to meeting you in Japan **before long**. **近いうちに**日本であなたとお会いできることを楽しみにしています。
☐ **break down** 崩れ落ちる，故障する	The car **broke down** in the middle of the street. 自動車が道の真ん中で**故障した**。
☐ **break out** 突然～しだす，勃発する	A little while later the First World War **broke out**. それから少しして，第一次世界大戦が**勃発した**。
☐ **bring up ～** ～を育てる，提案する	Human beings alone take a very long time to **bring up** their little ones. 人間だけが子**育て**に長い時間をかける。
☐ **burst into ～** 突然～しだす	She looked as if she were about to **burst into** tears. 彼女は今にも**わっと泣き出し**そうな様子だった。
☐ **by accident [chance]** 偶然	It was just **by accident** that we met at the restaurant. 私たちがそのレストランで会ったのはまったくの**偶然**だった。
☐ **by all means** 何がなんでも	You should carry out your new project **by all means**. あなたは**何がなんでも**新しい計画を遂行すべきだ。
☐ **by no means** けっして～でない	It is **by no means** certain that we'll finish the project by December. 我々がそのプロジェクトを12月までに終えられるかは**けっして**確実**ではない**。
☐ **call off ～** ～を中止する	We had to **call off** the game because of bad weather. 悪天候のために試合**を中止し**なければならなかった。

☐ **carry out ～** ～を実行する	You must do your best to **carry out** your own duties. あなたたちは自らの任務**を実行する**ために最善を尽くさなければならない。
☐ **come across ～** ～に偶然出会う	I've never **come across** such a strange case. 私はかつてそんな奇妙な事件**に出くわし**たことがない。
☐ **come to an end** 終わりになる	Ellen was very sad when her favorite TV drama **came to an end**. エレンはお気に入りのTVドラマが**終わった**ときとても悲しかった。
☐ **come up with ～** ～を提案する，～に追いつく	I hope you can **come up with** a better idea than this. きみにはこれよりもっといいアイディア**を出し**てほしいものだ。
☐ **consist of ～** ～から成る	Taxes **consist of** direct taxes and indirect ones. 税金は直接税と間接税**から成る**。
☐ **contrary to ～** ～に反して	The government's actions are **contrary to** the public interest. 政府のとった行動は，民衆の考え**に反してい**た。
☐ **cope with ～** ～に対処する	I'm afraid I can't **cope with** the stress. そのストレス**に対処でき**ない気がします。
☐ **count on [upon] ～** ～に頼る	You can always **count on** me when you are in trouble. 困ったときにはいつでも私**に頼って**くれて構いません。
☐ **deal with ～** ～を取り扱う，処理する	How should we **deal with** the present situation? 我々は現在の状況にどう**対処す**べきであろうか。

熟語	例文
☐ **do away with ～** ～を取り除く，廃止する	He did his best to **do away with** all discrimination. 彼は差別**をなくす**ために最善をつくした。
☐ **do without ～** ～なしで済ます	With such heat, I cannot **do without** an air conditioner. この暑さでは，エアコン**なしでは過ごせ**ない。
☐ **due to ～** ～のせいで	**Due to** the bad weather, all flights to Okinawa are canceled. 悪天候**のせいで**，沖縄行きの全便が欠航している。
☐ **even if ～** たとえ～であっても	**Even if** it rains tomorrow, I am going on a trip. **たとえ**明日雨が降っ**ても**，私は旅行に行く。
☐ **ever since ～** ～以来ずっと	My back has been bad **ever since** I fell and hurt it two years ago. ２年前に転んで痛めて**以来ずっと**背中の具合が悪い。
☐ **find fault with ～** ～のあら探しをする	It is easy to **find fault with** the work of others. 他人の仕事**のあら探しをする**のは簡単だ。
☐ **for certain** 確かに	No one knows **for certain** when he will come back home. 彼がいつ家に戻るか，だれも**確実には**分からない。
☐ **for instance** 例えば	Take, **for instance**, your family problems. **例えば**あなたの家庭のいざこざを考えてごらんなさい。
☐ **for the sake of ～** ～のために	**For the sake of** his health, he jogs every morning. 健康**のために**彼は毎朝ジョギングをしている。

☐ **get over ～** ～から回復する，克服する	It took her more than three months to **get over** the death of her son. 彼女が息子の死**から立ち直る**のに３か月以上かかった。
☐ **give in ～** ～を提出する	You need to **give in** your paper by tomorrow. あなたは明日までにレポート**を提出する**必要があります。
☐ **go along with ～** ～とうまくいく	It was easier to **go along with** her rather than risk an argument. 彼女とはあえて議論するよりも**うまくやっていく**ほうが楽だ。
☐ **go over ～** ～を越[超]える，調べる	It seems like today's temperature will **go over** 35 degrees. 今日の気温は 35 度**を超え**そうです。
☐ **hand down ～** ～を伝える，引き継ぐ	This kimono was **handed down** to me from my mom. この着物は母から私に**引き継がれました**。
☐ **hang in there** 頑張る	She just had enough mental toughness to **hang in there** long enough. 彼女には**頑張って**持ちこたえるだけの精神的な強さがあった。
☐ **have little to do with ～** ～とほとんど関係がない	This question **has little to do with** the main topic of the survey. この質問は調査の主題**とほとんど関係がない**。
☐ **hold the line** 電話を切らないでいる	He is on another line. Would you **hold the line** a minute? 彼は別の電話に出ています。しばらく**電話を切らずに**お待ちいただけますか。
☐ **in advance** 前もって	Why didn't you tell me about your absence **in advance**? 欠席するなら，なぜ**前もって**言わなかったのですか。

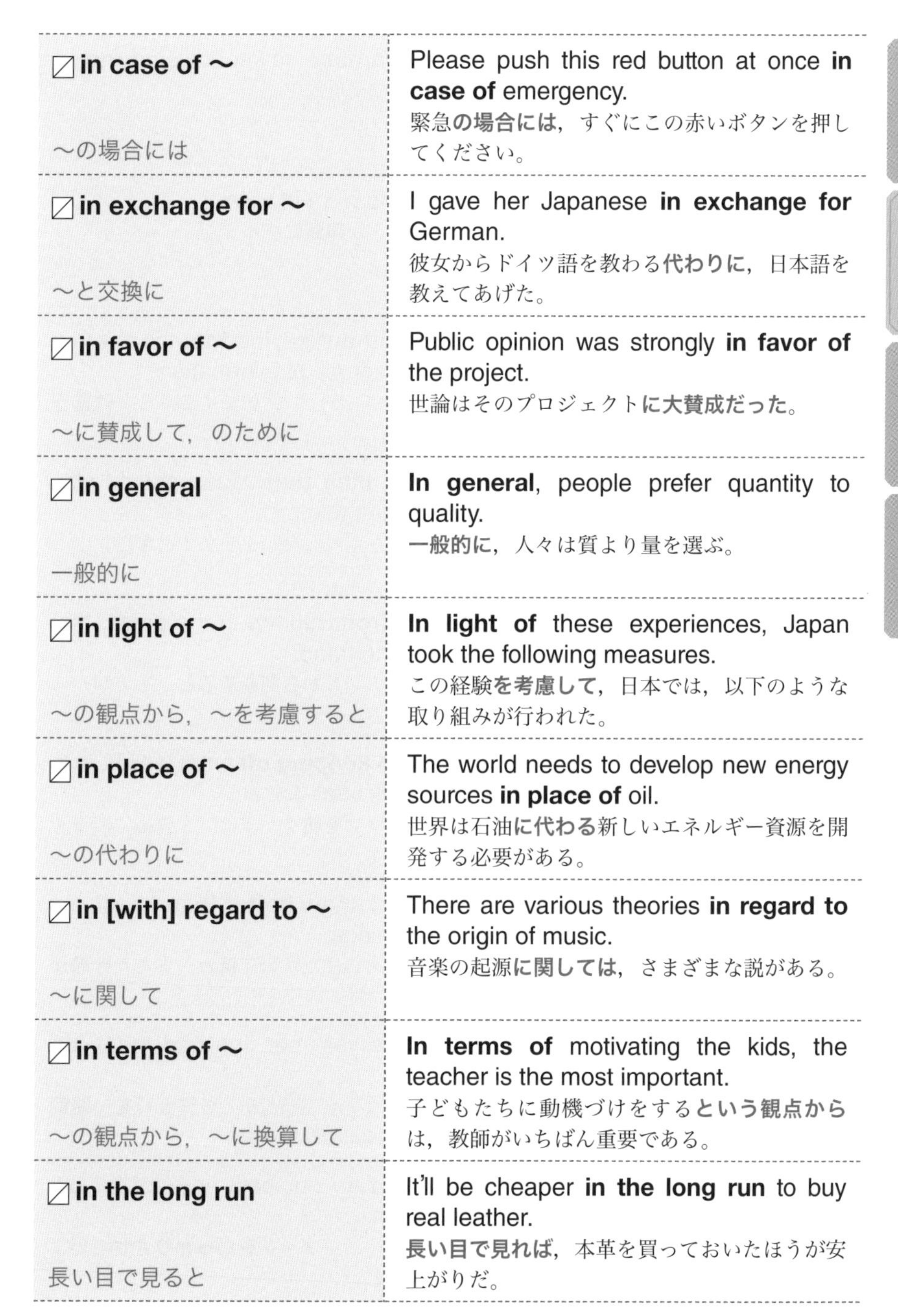

熟語	例文
☐ **in case of ～** ～の場合には	Please push this red button at once **in case of** emergency. 緊急**の場合には**，すぐにこの赤いボタンを押してください。
☐ **in exchange for ～** ～と交換に	I gave her Japanese **in exchange for** German. 彼女からドイツ語を教わる**代わりに**，日本語を教えてあげた。
☐ **in favor of ～** ～に賛成して，のために	Public opinion was strongly **in favor of** the project. 世論はそのプロジェクト**に大賛成だった**。
☐ **in general** 一般的に	**In general**, people prefer quantity to quality. **一般的に**，人々は質より量を選ぶ。
☐ **in light of ～** ～の観点から，～を考慮すると	**In light of** these experiences, Japan took the following measures. この経験**を考慮して**，日本では，以下のような取り組みが行われた。
☐ **in place of ～** ～の代わりに	The world needs to develop new energy sources **in place of** oil. 世界は石油**に代わる**新しいエネルギー資源を開発する必要がある。
☐ **in [with] regard to ～** ～に関して	There are various theories **in regard to** the origin of music. 音楽の起源**に関しては**，さまざまな説がある。
☐ **in terms of ～** ～の観点から，～に換算して	**In terms of** motivating the kids, the teacher is the most important. 子どもたちに動機づけをする**という観点から**は，教師がいちばん重要である。
☐ **in the long run** 長い目で見ると	It'll be cheaper **in the long run** to buy real leather. **長い目で見れば**，本革を買っておいたほうが安上がりだ。

熟語	例文
☐ **in the meantime** その間	**In the meantime** he kept on studying. **その間**彼は勉強を続けた。
☐ **in vain** 無駄に，効果なく	All attempts were **in vain**. あらゆる試みが**無駄に**終わった。
☐ **It goes without saying that ...** …は言うまでもない	**It goes without saying that** the Internet is a good source of information. インターネットがよい情報源であること**は言うまでもない**。
☐ **It's high time that ...** もう…していいころだ	**It is high time that** Japan should play an important role. **今こそ**日本が重要な役割を果たす**ときだ**。
☐ **judging from [by] ～** ～から判断すると	**Judging from** reports in the press, that is a growing trend. 新聞や雑誌の記事**から判断すると**，その傾向は強まっている。
☐ **keep off ～** ～を寄せつけない，防ぐ	The key to **keeping off** extra weight is to take a walk after dinner. 余計な体重増加**を防ぐ**かぎは，夕食後に散歩をすることです。
☐ **know better than to ～** ～するほど愚かではない	You should **know better than to** ask me for such things. そんなことを私にたずねる**ほど**，あなたは**愚かでない**はずだ。
☐ **lay off ～** ～を一時解雇する	Earlier this year her firm had to **lay off** 25 staff. 年初に，彼女の会社は 25 人の従業員**を一時解雇し**なければならなかった。
☐ **let *A* down** A をがっかりさせる	We should try our best and not **let** our fans **down**. ベストを尽くしてファン**をがっかりさせ**ないようにしなければ。

☐ **live up to ～** ～にふさわしい生き方をする，(期待などに)応える	I studied hard to **live up to** my parents' expectations. 両親の期待**に応える**ために，私は一生懸命勉強した。
☐ **long for ～** ～を熱望する，～に恋焦がれる	She **longed for** the chance to speak to him in private. 彼女は彼と個人的に話をする機会**を待ち焦がれていた**。
☐ **look into ～** ～を調査する	Police are **looking into** the disappearance of the students. 警察は学生たちが行方不明になった事件**について捜査中**だ。
☐ **make a fool of ～** ～をからかう	I suddenly realized that I was being **made a fool of**. 突然私は自分が**からかわれて**いることに気づいた。
☐ **make up *one*'s mind** 決心する	You ought to **make up your mind** one way or the other. いずれにせよ，きみははっきり**決める**べきだ。
☐ **make up with ～** ～と仲直りする	I didn't know how to **make up with** my friend after we fought like cats and dogs. 友人と大げんかしてしまい，どうやって**仲直りをすれ**ばいいか分からなかった。
☐ **manage to *do*** 何とか～する	Many families **manage to** make do on very small income. 多くの家庭は，少ない収入で**何とか**やりくり**して**いるのです。
☐ **much more ～** (肯定文に付加)まして～はなおさらだ	We should respect the rights of others, **much more** their lives. 私たちは他人の権利を尊重すべきです。**まして**生命は**なおさらです**。
☐ **needless to say** 言うまでもなく	**Needless to say**, theory and practice sometimes conflicts. **言うまでもなく**，理論と実践は時に矛盾する。

☐ **no less *A* than *B*** Bと同様にA	Mental health is **no less** important **than** physical health. 心の健康は，体の健康**と同様に**重要である。
☐ **no more than ～** たったの～	I wanted to buy it, but I found I had **no more than** 10 dollars. 私はそれを買いたかったが，**たった**10ドル**しか**持ち合わせがなかった。
☐ **no sooner *A* than *B*** AするとすぐにBだ	She had **no sooner** seen the man **than** she ran away. 彼女はその男を見る**とすぐに**走り去った。
☐ **not less than ～** 少なくとも～	It'll take **not less than** three days for me to finish the task. 私がその課題を終えるのに**少なくとも**3日はかかるだろう。
☐ **nothing but ～** ただ～だけ	Computers are **nothing but** a powerful calculator. コンピューターは**ただ**強力な計算機**にすぎない**。
☐ **nothing less than ～** ～にほかならない	Her feelings for you were **nothing less than** true love. あなたに対する彼女の感情は，真の愛情**にほかならない**。
☐ **on account of ～** ～という理由で	A couple of flights were delayed **on account of** a minor accident. ちょっとした事故**が原因で**，2，3便に遅れが出た。
☐ **on [in] behalf of ～** ～のために，～を代表して	The captain accepted the cup **on behalf of** the team. 主将がチーム**を代表して**カップを受け取った。
☐ **on the contrary** それどころか	It wasn't a good thing; **on the contrary** it was a huge mistake. それはいいことではない。**それどころか**とんだ誤りだ。

☐ **on the other hand** 一方で	That job was not very interesting, but **on the other hand** it was well paid. その仕事はあまりおもしろくなかったが，**その一方で**給与はよかった。
☐ **on the whole** 概して，全体的に	**On the whole**, he feels very happy about his job. **全体的に**，彼は自分の仕事に満足している。
☐ **one after another** 次々と	Unexpected incidents occurred **one after another**. 予期せぬ出来事が**次から次へと**起こった。
☐ **out of order** 故障して，調子が悪い	The air conditioner has got **out of order** again. エアコンがまた**故障して**しまった。
☐ **owing to 〜** 〜という理由で	**Owing to** a lack of funds, the project will not continue next year. 資金不足**のため**，そのプロジェクトは来年は継続しない。
☐ **pass away** 死ぬ，去る	My aunt **passed away** from a car accident two years ago. 伯母は２年前に交通事故で**この世を去りました**。
☐ **point out 〜** 〜を指摘する	Mike wishes to **point out** your misunderstanding of the facts. マイクはきみの事実誤認**を指摘し**たがっている。
☐ **provided that ...** …という条件であれば	You can come with us, **provided that** you pay for your own meals. 自分自身の食べる分を負担する**という条件なら**いっしょに来てもいいよ。
☐ **put out 〜** 〜を消す	Be sure to **put out** the fire before you go to sleep. 寝る前に間違いなく火**を消して**ください。

☐ **refrain from *doing*** 〜を差し控える	Please **refrain from** playing loud music in residential areas. 住宅街では大音響で音楽を演奏すること**をお控え**ください。
☐ **rely on [upon] 〜** 〜に頼る	Many people now **rely on** the Internet for news. 今日ではニュースをインターネット**に頼っている**人が多い。
☐ **run into [across] 〜** 〜に偶然出会う	On a cold evening in December, I **ran into** one of my old friends. 12月のある寒い夕方，私は一人の旧友**に偶然会った**。
☐ **run out of 〜** 〜を使い果たす	I **ran out of** time before I finished all the questions. 問題をすべて解き終える前に時間**がなくなった**。
☐ **settle down** 平静になる，身を固める	I hope that you will be able to **settle down** soon. 早く**落ち着かれる**ことを願っています。
☐ **show off 〜** 〜を見せびらかす	I think he visited us just to **show off** his new girlfriend. 彼は新しい彼女**を見せびらかす**ためにぼくたちのところに来たのだと思う。
☐ **sign up for 〜** 〜を申し込む	How much will it cost me to **sign up for** that service? そのサービス**を申し込む**といくらかかりますか。
☐ **sit up** 寝ないで起きている	Does your wife **sit up** for you if you're late? あなたの帰りが遅くなるとき，奥様は**寝ないで**待っているのですか。
☐ **so to speak** いわば	The dog is, **so to speak**, a member of my family. その犬は，**いわば**私の家族の一員だ。

☐ **speak ill [badly/evil] of ～** ～の悪口を言う	It makes me sick to see those people **speaking ill of** others. 他人**の悪口を言う**人を見ると気分が悪くなる。
☐ **stand for ～** ～を表す	The letters ASEAN **stand for** the Association of Southeast Asian Nations. ＡＳＥＡＮという文字は東南アジア諸国連合**を表します**。
☐ **sum up ～** 合計～になる，～を要約する	In your final paragraph, **sum up** your argument. 最後の段落で，あなたの議論**をまとめ**なさい。
☐ **take account of ～** ～を考慮する	It is important that we **take account of** local objections. 地方の反対**を考慮する**ことは重要だ。
☐ **take *A* for granted** A を当然と考える	Today we **take** separation of church and state **for granted**. 今日では我々は政教分離**を当然のことと考えている**。
☐ **take after ～** ～に似ている	My brother doesn't **take after** his father at all. 兄はまったく父親**に似ていない**。
☐ **take away ～** ～を持ち去る，奪う	We must be careful not to **take away** people's freedoms. 私たちは，人々の自由**を奪う**ことがないよう注意しなければならない。
☐ **take on ～** ～を引き受ける，(様相を)呈する	My doctor told me not to **take on** any more work. 主治医は私に，これ以上仕事**を引き受け**ないように言った。
☐ **take over ～** ～を引き継ぐ	Who's going to **take over** your business when you retire? あなたが退任したら，だれがあなたの事業**を引き継ぐ**のだろうか。

☐ **take part in ～** ～に参加する	I have already promised that I'd **take part in** that event. 私はその行事**に参加する**とすでに約束した。
☐ **take up** (仕事に)つく，(時間・場所)を取る	Mothers with young children have difficulty in **taking up** full-time employment. 小さい子どものいる母親たちはフルタイムの仕事に**つく**のが難しい。
☐ **the last ～ ...** 最も…しそうもない～	He'd be **the last** person to do something like that. 彼**に限って**そんなことは**しない**。
☐ **There is no *doing*** ～することはできない	**There is no telling** what will happen tomorrow. 明日何が起こるかは**だれにも分からない**。
☐ **think over ～** ～を熟考する	I'll **think** it **over**. **考えて**おきます。(遠回しに断るときも使います)
☐ **to say nothing of ～** ～は言うまでもなく	We don't have to spend our time, **to say nothing of** money. お金**は言うまでもなく**，時間もかける必要はありません。
☐ **to the contrary** それに反して	Unless there is evidence **to the contrary**, we ought to believe them. **反対の**証拠が出ない限りは，彼らを信じるしかないだろう。
☐ **to the point** 適切な，的を射た	The Minister didn't say anything that comes **to the point**. 大臣は**核心に触れる**ことは何も言わなかった。
☐ **turn away** 目をそらす	She **turned away** and refused to listen to my protest. 彼女は**目をそらして**私の抗議を聞こうとしなかった。

☐ **turn down 〜** 〜を断る，（ガスの炎を）弱める	It's not wise of you to **turn down** his invitation. 彼の誘い**を断る**とは，きみも賢明ではないね。
☐ **turn in 〜** 〜を提出する	Students are supposed to **turn in** reports at the end of the school year. 学生たちは学年末にレポート**を提出する**ことになっている。
☐ **wear out 〜** 〜を使い古す，疲労させる	Excessive washing will **wear out** clothes rapidly. 洗濯しすぎると，洋服はすぐに**傷んで**しまう。
☐ **what is called** いわば，いわゆる	This concept is often combined with **what is called** racialism. この概念はしばしば，**いわゆる**人種差別と結びつけられる。
☐ **when it comes to 〜** 〜ということになると	She looks sharp **when it comes to** solving math problems. 数学の問題を解く**ということになると**，彼女は鋭い顔つきになる。
☐ **with pleasure** 喜んで	He laughed **with pleasure** when people said he looked like his dad. 父親に似ていると言われて，彼は**喜んで**笑った。
☐ **work out 〜** 〜を成し遂げる，〜を解く	If you cannot **work out** the problem, you had better try a different method. もしもその問題**を解く**ことができないなら，別の方法を試してみるといい。
☐ **would rather *do*** （〜より）むしろ〜したい	I **would rather** leave early than travel on rush-hour trains. ラッシュアワーの電車で行くより、**むしろ**早く出かける**ほうがいい**。
☐ **yield to 〜** 〜に屈服する	He will never **yield to** the pressure of a politician. 彼はけっして政治家の圧力**に屈し**ないだろう。

長文頻出単語40

Eメール

☐ **animation** 名	[ænəméiʃən]	アニメ，活発
☐ **bilingual** 形 名	[bailíŋgwəl]	２か国語を話す（人）
☐ **contract** 名 動	[kántrækt|kəntrǽkt]	契約（する）
☐ **fee** 名	[fíː]	料金，謝礼，入場料
☐ **loan** 名 動	[lóun]	ローン，融資（する）
☐ **session** 名	[séʃən]	開廷，開会，会合
☐ **ship** 名 動	[ʃíp]	船，出荷する
☐ **tax** 名 動	[tǽks]	税，課税する

自然・科学

☐ **academic** 形 名	[ækədémik]	大学の，学究（的な）
☐ **bacteria** 名	[bæktíəriə]	細菌，バクテリア
☐ **broadcast** 名 動	[brɔ́ːdkæ̀st]	放送（する）
☐ **carbon** 名	[káːrbən]	炭素
☐ **cell** 名	[sél]	細胞，独房，小室
☐ **ecosystem** 名	[ékousìstəm]	生態系
☐ **gene** 名	[dʒíːn]	遺伝子
☐ **greenhouse** 名	[gríːnhàus]	温室
☐ **institute** 名 動	[ínstətjùːt]	学会，協会，設ける
☐ **oxygen** 名	[áksidʒən]	酸素

☐ **pollute** 動	[pəlúːt]	汚す，汚染する
☐ **rainforest** 名	[réinfɔ̀ːrist]	熱帯雨林
☐ **species** 名	[spíːʃiːz]	種類，種，人類
☐ **substance** 名	[sʌ́bstəns]	物質，物体，内容
☐ **tornado** 名	[tɔːrnéidou]	竜巻
☐ **virus** 名	[váiərəs]	ウイルス，病原体

生活・社会

☐ **agent** 名	[éidʒənt]	代理人[業者]
☐ **billion** 名	[bíljən]	１０億
☐ **board** 名 動	[bɔ́ːrd]	板，委員会，乗り込む
☐ **citizen** 名	[sítəzən]	市民，国民，民間人
☐ **debt** 名	[dét]	借金，恩義
☐ **deposit** 動 名	[dipázit]	預ける，預(託)金
☐ **disabled** 形 名	[diséibld]	体に障がいのある
☐ **facility** 名	[fəsíləti]	容易さ
☐ **interaction** 名	[ìntərǽkʃən]	相互作用，対話，交流
☐ **law** 名	[lɔ́ː]	法律，規則
☐ **revolution** 名	[rèvəlúːʃən]	革命，大変革
☐ **secure** 形 動	[sikjúər]	安全な，安全にする
☐ **starve** 動	[stáːrv]	飢える，飢えさせる
☐ **troubleshooter** 名	[trʌ́blʃùːtər]	問題解決者
☐ **wealth** 名	[wélθ]	豊富，財
☐ **wheat** 名	[hwíːt]	小麦

頻出会話表現 17

☐ **as far as I know** 私の知る限り	A: Is there a bookstore near here? B: No, there isn't **as far as I know**. A：この辺りに書店はある？ B：**私の知る限り**では，ないわね。
☐ **Can[Could/May] I speak to 〜?** 〜をお願いします。	A: **Can I speak to** Mr. Green**?** B: Sorry, he is out now. Can I take a message? A：グリーンさん**をお願いします。** B：すみません，彼は外出しています。伝言を伺いましょうか？
☐ **Can[Could] you pick me up 〜?** 迎えに来てもらえますか？	A: **Can you pick me up** at the station**?** I'll be there at six. B: No problem, Jane. A：駅まで**迎えに来てくれる？**　6時に着くわ。 B：いいよ，ジェーン。
☐ **Do[Would] you mind if 〜?** 〜してもいいですか？	A: **Do you mind if** I open the window**?** B: Not at all. It's hot in this room. A：窓を開け**てもいいですか？** B：まったくかまいませんよ。この部屋は暑いですからね。
☐ **(How) can[could/may] I help you?** いらっしゃいませ。	A: **Can I help you?** B: I'm looking for walking shoes. A：**いらっしゃいませ。** B：ウォーキングシューズを探しているのですが。

☐ **How do you like ～?** ～をどう思いますか。	**A: How do you like** that new teacher**?** **B:** She is friendly, and her classes are interesting. **A**：あの新しい先生**をどう思う？** **B**：親切だし，授業が分かりやすいよ。
☐ **I didn't mean it.** そんなつもりではなかったんです。	**A:** Well, you don't like that movie, right? **B: I didn't mean it.** I was just joking. **A**：そう，あなたはあの映画が好きではないのね？ **B**：**そんなつもりではなかったんだ。**ただの冗談だよ。
☐ **I wonder if[whether]...** ～していただけますか？	**A: I wonder if** you could wrap this hat. **B:** Certainly, sir. This way, please. **A**：この帽子を包装**していただけますか？** **B**：もちろんです，お客様。こちらへどうぞ。
☐ **I'm sorry to hear that.** それはお気の毒に。	**A:** Amy broke her leg in a basketball game. She is in a hospital now. **B: I'm sorry to hear that.** **A**：エイミーはバスケットボールの試合で脚を骨折したの。今、入院しているわ。 **B**：**それは気の毒に。**
☐ **Is it OK for me to *do* ～?** ～してもいいですか？	**A: Is it OK for me to** try these shoes on**?** **B:** Sorry, ma'am. They are not for sale. **A**：この靴を試着**してもいいですか？** **B**：申し訳ありません，お客様。それらは非売品です。
☐ **(It's) my pleasure.** どういたしまして。	**A:** My homework is done! Thank you for your help. **B: It's my pleasure.** **A**：宿題が終わったわ！　手伝ってくれてありがとう。 **B**：**どういたしまして。**

☐ **Not at all.**

どういたしまして。

A: You told me a lot, Jim. Thank you very much.
B: **Not at all.** You helped me before.
A：あなたはたくさんのことを教えてくれたわ，ジム。どうもありがとう。
B：**どういたしまして。**きみは以前ぼくを助けてくれたからね。

☐ **That sounds ～ .**

～のように思える

A: How about go swimming in the sea next Saturday?
B: **That sounds** great! I can't wait.

A：次の土曜日，海に泳ぎに行くのはどう？
B：すばらしい**だろうね！**　待ちきれないよ。

☐ **to put it another way, ...**

別の言い方をすると…

A: Ken is a bit stubborn. Don't you think so?
B: **To put it another way,** he has a strong will.
A：ケンは少し頑固だよ。そう思わない？
B：**別の言い方をすると，**意志が強いということだよ。

☐ **What a shame!**

ああ，残念！

A: **What a shame!** My favorite singer is going to retire.
B: That's too bad. Who is that?
A：**ああ，残念！**　私のお気に入りの歌手が引退するの。
B：気の毒に。それはだれなの？

☐ **What's wrong with ～ ?**

～はどうしたの？

A: Yuki is absent. **What's wrong with** her**?**
B: I don't know. Maybe she has a cold.

A：ユキが欠席だね。彼女**はどうしたの？**
B：さあ。かぜじゃないかな。

☐ **Would[Do] you mind *doing*?**

～してくれませんか？

A: **Would you mind** turning down the volume on the radio**?**
B: Oh, I'm really sorry.

A：ラジオの音量を下げ**ていただけませんか？**
B：ああ，本当にすみません。